H.P. LOVECRAFT

O NAVIO BRANCO

H.P. LOVECRAFT

O NAVIO BRANCO

CHRONOS

1ª EDIÇÃO

Todos os direitos reservados.
Copyright © 2019 by Editora Pandorga

Direção editorial
Silvia Vasconcelos

Produção editorial
Equipe Editora Pandorga

Preparação
Jéssica Gasparini Martins

Revisão
Gabriela Gomes Peres

Tradução
Fátima Pinho
Marsely de Marco

Diagramação
Danielle Fróes

Composição de capa
Lumiar Design

Texto de acordo com as normas do Novo Acordo Ortográfico da Língua Portuguesa
(Decreto Legislativo n° 54, de 1995)

Dados Internacionais de Catalogação na Publicação (CIP)
TuxpedBiblio (São Paulo - SP)

L897n   **Lovecraft**, H. P.

O navio branco / H. P. Lovecraft (Tradução de Fátima Pinho e Marsely de Marco). 1. ed. - São Paulo – SP : Editora Pandorga. Brasil, 2019.
144 p.; il.; 14x21 cm.

ISBN 978-85-8442-436-8

1. Cathuria   2. Literatura Americana   3. Suspense   4. Terror   I. Título   II. Autor

CDD 810.863
CDU 821.312.9 (73)

Índice para Catálogo Sistemático

1. Literatura americana: Ficção, terror, etc.
2. Romances fantásticos, terror (Estados Unidos).

Ficha catalográfica elaborada pelo bibliotecário Pedro Anizio Gomes CRB-8 8846

2019
IMPRESSO NO BRASIL
PRINTED IN BRAZIL
DIREITOS CEDIDOS PARA ESTA EDIÇÃO À
EDITORA PANDORGA
Rodovia Raposo Tavares, km 22
CEP: 06709015 – Lageadinho – Cotia – SP
Tel. (11) 4612-6404

SUMÁRIO

	APRESENTAÇÃO	7
1	O NAVIO BRANCO	11
2	CELEPHAÏS	19
3	AR FRIO	27
4	OS OUTROS DEUSES	39
5	A MALDIÇÃO DE SARNATH	47
6	O VISITANTE DAS TREVAS	57
7	O TEMPLO	87
8	O MODELO DE PICKMAN	105
9	O FESTIVAL	123

APRESENTAÇÃO

Não é por acaso que *O navio branco* dá nome a esse volume. Trata-se de uma obra em que Lovecraft faz uso à exaustão de recursos descritivos – objetivos e subjetivos – dos cenários e personagens. Essa certamente não é uma característica pela qual o mestre do terror é mundialmente conhecido, o que nos mostra como sua genialidade pode permear qualquer campo da escrita. Nela conhecemos Basil Elton, um vigia de farol que, nas noites em que há luar, enxerga ao longe um navio branco e misterioso. Em dado momento, Basil é convidado pelo simpático capitão do navio para juntar-se à tripulação e conhecer terras repletas de maravilhas inimagináveis.

Já *O modelo de Pickman* não causa estranheza a quem está acostumado com o horror das narrativas de Lovecraft. O conto gira em torno do pintor Richard Upton Pickman, famoso por criar obras bizarras e repugnantes. O que chama atenção nesse conto é a forma magistral com que o autor combina elementos do horror, do místico e da arte, produzindo uma história tão bela quanto assustadora.

Em *Ar frio*, o leitor vai se deparar com uma história arrepiante, perturbadora e, se estiver familiarizado, vai perceber a influência da escrita de Edgar Allan Poe na composição do conto. É sabido que Lovecraft admirava muito o autor de *O corvo*.

O presente volume traz outros seis contos tão admiráveis quanto, mas, para evitar delongas e não causar maior ansiedade ao leitor, esta apresentação termina por aqui.

Boa leitura.

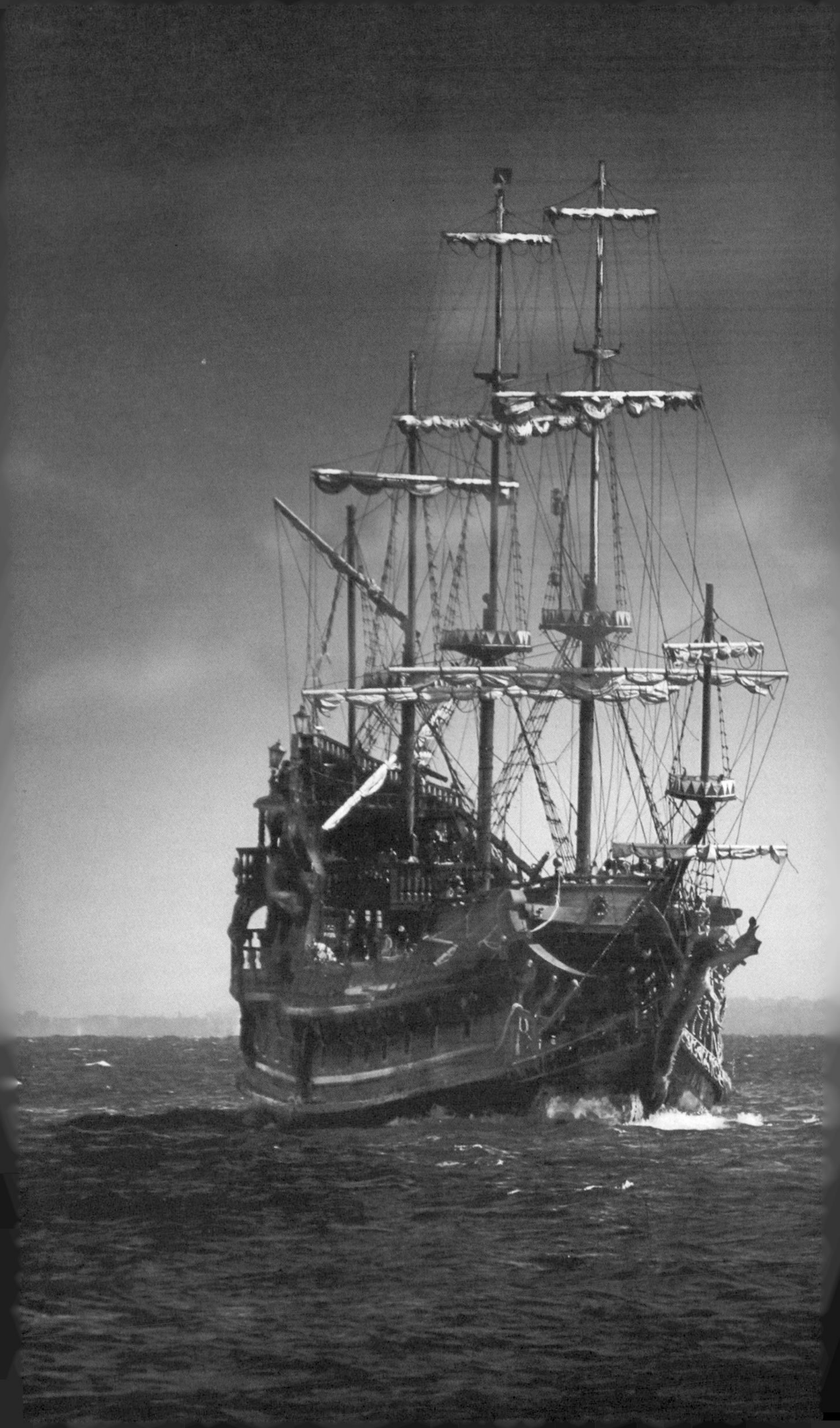

O Navio Branco

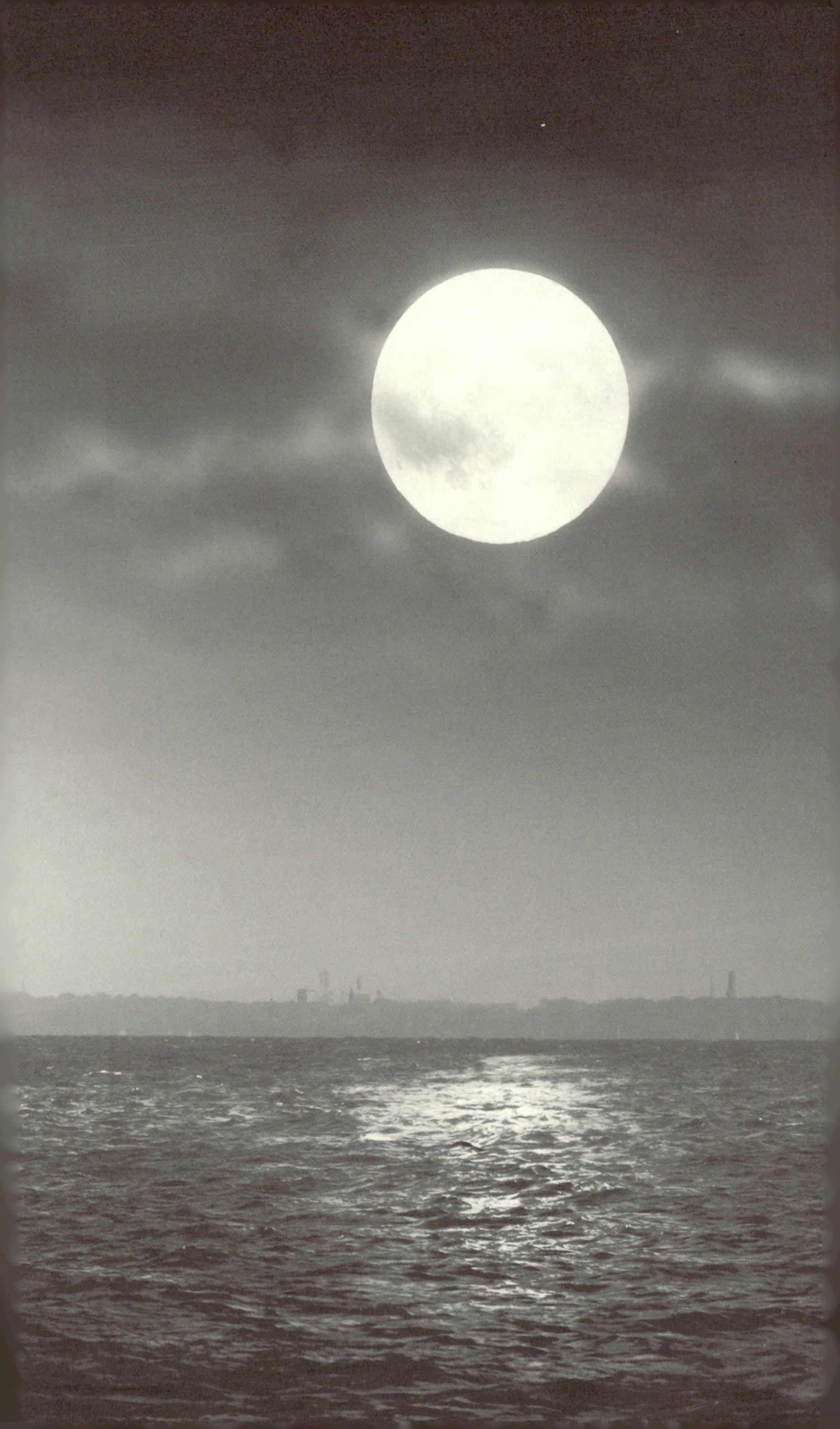

O navio branco

Sou Basil Elton, faroleiro do farol de North Point, do qual meu pai e meu avô cuidaram antes de mim. Longe da orla, ergue-se a construção cinza, acima de pedras musguentas visíveis na maré baixa, mas ocultas pela maré alta. Além do lume, por mais de um século singraram as majestosas barcas dos sete mares. Na época do meu avô, elas eram muitas; na época do meu pai, nem tantas; e hoje são tão poucas que eu às vezes sinto uma estranha solidão, como se eu fosse o último homem sobre a Terra.

De praias distantes vinham os antigos galeões de velas brancas; de longínquas praias orientais, onde o sol brilha e perfumes doces envolvem jardins exóticos e alegres templos. Os velhos lobos-do-mar amiúde vinham fazer visitas ao meu avô e contar histórias que ele mais tarde contou ao meu pai, e o meu pai a mim nas longas noites de outono quando escutávamos o uivo lúgubre do vento leste. E li mais sobre essas coisas, e também sobre muitas outras, nos livros que os homens me deram quando eu era jovem e deslumbrado com o mundo.

Porém, ainda mais deslumbrante do que a sabedoria dos anciãos e a sabedoria dos livros é a sabedoria oculta do oceano. Azul, verde, cinza, branco ou preto; calmo, encapelado ou montanhoso; o oceano não se cala. Passei a vida inteira olhando e escutando o mar, e hoje o conheço bem. No início, ele só me contava histórias simples sobre praias calmas e portos vizinhos, mas com o passar dos anos tornou-se meu amigo e falou sobre outras coisas; coisas mais estranhas e mais distantes no espaço e no tempo. Certas vezes, ao entardecer, os vapores cinzentos do horizonte abriam-se para me oferecer uma visão dos caminhos além; e certas vezes, à noite, as águas profundas do oceano faziam-se claras e fosforescentes para me oferecer uma visão dos caminhos abaixo. E essas visões eram tanto dos caminhos que foram e poderiam ser como dos que ainda são, pois o oceano é mais antigo que as montanhas e carrega as memórias e os sonhos do Tempo.

    Era do sul que o Navio Branco vinha quando a lua cheia pairava alta nos céus. Era do sul que vogava suave e silente pelas águas do mar. E independentemente de o mar estar calmo ou agitado, de os ventos serem favoráveis ou não, o Navio Branco sempre vogava suave e silente, com as velas distantes e as fileiras de estranhos remos movendo-se em um único compasso. Uma vez, à noite, vi um homem de barba e manto no convés, que com um aceno pareceu convidar-me para uma viagem rumo a terras desconhecidas. Vi-o em muitas outras noites de lua cheia, porém, nunca mais acenou.

    A lua estava muito clara na noite em que respondi ao chamado, e caminhei pelas águas até o Navio Branco em uma ponte de luar. O homem que havia acenado deu-me boas-vindas em uma língua suave que eu parecia conhecer bem, e as horas passaram em meio às doces canções dos remadores, enquanto vogávamos rumo ao sul misterioso, tingido de ouro com o brilho cintilante da lua cheia.

    E quando o dia raiou, rosado e esplendoroso, vislumbrei a silhueta verde de terras longínquas, vistosas e belas, e a mim desconhecidas. Do mar erguiam-se terraços altaneiros com folhagens, repletos de árvores, que revelavam aqui e acolá os telhados brancos e as colunatas refulgentes de estranhos templos. Enquanto nos aproximávamos da orla, o homem barbado falou sobre aquela terra, a terra de Zar, onde habitavam todos os sonhos e pensamentos belos que já ocorreram aos homens e foram mais tarde esquecidos. E, quando olhei mais uma vez para os terraços, vi que era verdade, pois no panorama diante dos meus olhos havia muitas coisas que alguma vez eu vira por entre as névoas do horizonte e nas profundezas cintilantes do oceano. Havia também formas e fantasias mais esplêndidas do que qualquer outra que eu jamais houvesse vislumbrado; visões de jovens poetas que morreram na penúria antes que o mundo pudesse saber o que tinham visto e com o que tinham sonhado. Mas não desembarcamos nos pastos íngremes de Zar, pois, segundo a lenda, os que pisam naquelas terras podem nunca mais voltar ao porto de onde vieram.

Enquanto o Navio Branco se afastava em silêncio dos terraços de Zar, divisamos no horizonte à frente os coruchéus de uma cidade esplendorosa, e o homem disse, "Eis Thalarion, a Cidade das Mil Maravilhas, onde moram todos os mistérios que o homem tentou em vão desvendar". Olhei outra vez, mais de perto, e notei que a cidade era maior do que qualquer outra que eu tivesse visto ou sonhado. Os coruchéus dos templos desapareciam nos céus, de modo que era impossível divisar seus cumes; e, além do horizonte, estendiam-se as muralhas cinzas e sombrias por detrás das quais se viam apenas alguns telhados, bizarros e soturnos, mas adornados com frisos trabalhados e formosas esculturas. Eu ansiava por entrar nessa cidade incrível e a um só tempo repulsiva, e implorei ao homem de barba que me deixasse no píer junto ao enorme portão lavrado Akariel; mas ele, cheio de bondade, negou meu pedido dizendo: "Muitos já adentraram Thalarion, a Cidade das Mil Maravilhas, mas ninguém retornou. Lá não há nada além de demônios e criaturas desvairadas que perderam a humanidade, e de ruas brancas com as ossadas insepultas dos que olharam para o espectro Lathi, que preside a cidade". E o Navio Branco foi adiante até deixar para trás as muralhas de Thalarion e seguiu por muitos dias um pássaro que voava rumo ao sul, cuja plumagem reluzente tinha a mesma cor do céu de onde havia surgido.

Então chegamos a um litoral agradável com flores de todas as cores, onde lindos bosques e arvoredos radiantes estendiam-se até onde a vista alcançava, sob o calor do sol meridional. Dos caramanchões além do horizonte vinham explosões de música e trechos de harmonia lírica intercalados por risadas tão deliciosas que apressei os remadores para chegarmos o mais rápido possível àquela cena. O homem barbado não disse uma palavra, mas ficou me observando enquanto nos aproximávamos da costa salpicada de lírios. De repente, uma brisa cruzou os prados floridos e os bosques folhosos e trouxe consigo um perfume que me fez estremecer. O vento foi ganhando força e o ar encheu-se com o odor letal e pútrido das cidades com covas abertas e flageladas pela peste. E enquanto nos afastávamos como loucos daquele litoral abominável, o homem de barba enfim disse: "Eis Xura, a Terra dos Prazeres Inalcançados".

Mais uma vez o Navio Branco seguiu o pássaro celeste pelos mares cálidos e abençoados, impelido por suaves brisas fragrantes. Dia após dia e noite após noite navegamos, e quando a lua estava cheia escutávamos a canção dos remadores, doce como naquela noite distante em que zarpamos da minha longínqua terra natal. E foi ao brilho do luar que enfim ancoramos no porto de Sona-Nyl, vigiado por dois promontórios de cristal que se erguem do mar e tocam-se em uma arcada resplendente. É o País dos Devaneios, e caminhamos até a orla verdejante em uma ponte de luar dourado.

No País de Sona-Nyl não existe tempo nem espaço, sofrimento nem morte; e lá morei por muitos éons. Verdes são os bosques e arvoredos, claras e fragrantes as flores, azuis e musicais os córregos, límpidas e frias as fontes e opulentos e maravilhosos os templos, castelos e cidades de Sona-Nyl. Lá não existem fronteiras, pois além de cada panorama de beleza ergue-se outro ainda mais vistoso. Pelo campo afora e em meio ao esplendor das cidades, as pessoas felizes movem-se a seu bel-prazer, todas abençoadas com a graça imaculada e a felicidade mais pura. Pelos éons em que lá estive, vaguei cheio de alegria por jardins onde templos extravagantes espreitam por detrás de arbustos, e onde os passeios brancos são ladeados por flores delicadas. Subi morros suaves e, das alturas, avistei panoramas encantadores de beleza, com vilarejos cheios de coruchéus aninhados em vales verdejantes, e as cúpulas douradas de cidades colossais a brilhar no horizonte infinitamente longínquo. E ao luar pude ver o mar refulgente, os promontórios cristalinos e o porto plácido em que o Navio Branco estava ancorado.

Foi contra a lua cheia que um dia, no ano imemorial de Tharp, divisei a silhueta do pássaro celestial que me chamava e senti os primeiros sinais de inquietude. Falei com o homem barbado e contei-lhe o desejo que eu sentia de viajar até a distante Cathuria, jamais vista por nenhum mortal, mas que se acreditava estar além dos pilares basálticos do Ocidente. É o País da Esperança, onde refulgem os ideais perfeitos de tudo o que se conhece em outros lugares; ao menos é o que dizem. Mas o homem barbado disse-me: "Cuidado com os mares traiçoeiros onde dizem que Cathuria fica. Em Sona-Nyl não existe sofrimento nem morte, mas quem sabe ao certo o que se esconde além dos pilares basálticos do Ocidente?" Todavia, quando a lua voltou a ficar cheia, embarquei no Navio Branco e, com o relutante homem barbado, deixei para trás o alegre porto rumo a mares nunca antes desbravados.

E o pássaro celeste voava adiante de mim e conduzia-nos aos pilares basálticos do Ocidente, mas dessa vez os remadores não cantavam nenhuma canção doce sob a lua cheia. Em minha fantasia, eu imaginava o desconhecido País de Cathuria com esplêndidos bosques e palácios e me perguntava que novas delícias estariam à minha espera. "Cathuria", eu dizia para mim mesmo, "é a morada dos deuses e o país das incontáveis cidades de ouro. As florestas são de aloe e sândalo, como os bosques fragrantes de Camorin, e por entre as árvores esvoaçam pássaros alegres, cheios de doçura e música. Nas montanhas verdes e floridas de Cathuria erguem-se templos de mármore rosa, que ostentam glórias entalhadas e pintadas, com fontes argênteas pelos pátios, onde as águas fragrantes do rio Narg, que nasce em uma gruta, sussurram melodias encantadoras. As cidades da Cathuria são cercadas por muralhas áureas, e suas calçadas também são de ouro. Nos jardins dessas cidades há estranhas orquídeas e lagos perfumados, cujos leitos são coral e âmbar. À noite, as ruas e os jardins são iluminados por alegres lanternas feitas com o casco tricolor da tartaruga, e lá ressoam as notas suaves do cantor e do alaúde. E as casas nas cidades de Cathuria são todas palácios, construídas sobre um canal fragrante no qual correm as águas do sagrado Narg. De mármore e pórfiro são as casas, cobertas por um ouro reluzente que reflete os raios do sol e aumenta o esplendor das cidades tal como os deuses, satisfeitos, veem-nas dos picos mais elevados. A mais bela construção é o palácio do grande monarca Dorieb, que alguns dizem ser um semideus, outros, um deus. Altaneiro é o palácio de Dorieb, e vários os torreões de mármore em suas muralhas. Em seus amplos salões, as multidões reúnem-se, e lá estão pendurados os troféus de todas eras. E o teto é de ouro maciço, sustentado por altos pilares de rubi e lápis-lazúli com figuras entalhadas na forma de deuses e heróis, de modo que quem ergue os olhos àquelas alturas tem a impressão de vislumbrar o próprio Olimpo. O piso dos palácios é de vidro, e por debaixo do cristal correm as águas iluminadas do Narg, alegres, com peixes vistosos, desconhecidos de todos além das fronteiras da adorável Cathuria".

Era assim que eu falava comigo mesmo sobre Cathuria, mas o homem de barba sempre me aconselhava a voltar para as alegres praias de Sona-Nyl, pois Sona-Nyl é conhecida dos homens, enquanto ninguém jamais vislumbrou Cathuria.

E no trigésimo primeiro dia seguindo o pássaro, divisamos os pilares basálticos do Ocidente.

Surgiram envoltos em névoa, de modo que era impossível ver o que se escondia além deles ou mesmo seus cumes – que alguns dizem alçar-se até os céus. E o homem barbado mais uma vez implorou para que eu voltasse atrás, mas não lhe dei ouvidos; pois, das névoas para além dos pilares basálticos, eu imaginava ouvir as notas de cantores e alaúdes, mais doces do que as mais doces canções de Sona-Nyl, e soando meus próprios louvores; louvores a mim, que tinha viajado para longe da lua cheia e estado no País do Devaneio. Assim, ao som da melodia, o Navio Branco vogou rumo à névoa entre os pilares basálticos do Ocidente. E quando a música cessou e a névoa baixou, vislumbramos não o País de Cathuria, mas um mar de correnteza irresistível, que arrastava nossa nau indefesa rumo ao desconhecido. Logo nossos ouvidos captaram o troar longínquo de cachoeiras e, diante de nossos olhos, assomou no horizonte a espuma titânica de uma catarata monstruosa, na qual os oceanos do mundo deságuam em um vazio abissal. Foi então que o homem barbado disse-se, com lágrimas a rolar pelo rosto: "Nós rejeitamos a beleza do lindo País de Sona-Nyl, que podemos nunca mais rever. Os deuses são mais grandiosos que os homens, e eles venceram". Fechei meus olhos antes do estrondo que viria a seguir, perdendo de vista o pássaro celestial que ruflou as zombeteiras asas cerúleas em provocação sobre a borda da torrente.

Após o estrondo veio a escuridão, e ouvi gritos de homens e de coisas inumanas. Do Oriente sopraram ventos tempestuosos, que me enregelaram quando agachei-me na prancha de pedra úmida que havia se erguido sob os meus pés. Então, depois de mais um estrondo, abri os olhos e me vi na plataforma do farol, de onde eu zarpara tantos éons atrás. Na escuridão lá embaixo avultava a enorme silhueta difusa de uma embarcação que se chocava contra escolhos cruéis, e, quando tirei os olhos do naufrágio, percebi que o farol havia falhado pela primeira vez desde que o meu avô o tomara sob seus cuidados.

No avançado da ronda, entrei na torre e, na parede, descobri um calendário que permanecia tal como eu o havia deixado quando parti. Com o raiar do dia, desci a torre e fui procurar os destroços nos escolhos, mas só o que encontrei foi um estranho pássaro morto, azul como o céu, e uma única verga destroçada, de brancura mais intensa que a da espuma na crista das ondas e da neve nas montanhas.

E desde então o oceano jamais voltou a me contar segredos; e ainda que por muitas vezes a lua cheia tenha brilhado alta nos céus, o Navio Branco do sul nunca mais retornou.

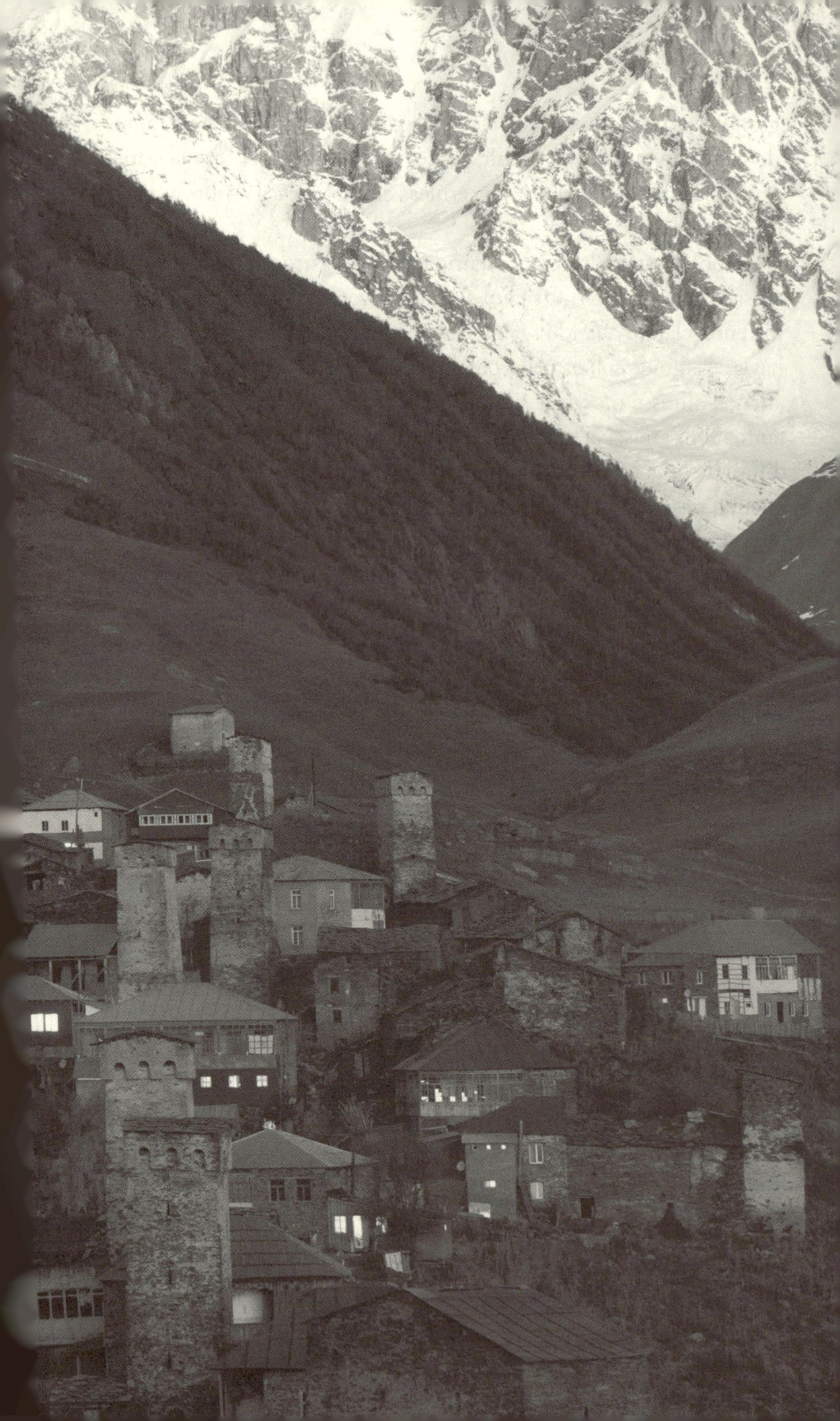

Celephaïs

Em um sonho, Kuranes viu a cidade no vale, e mais além a costa, e o pico nevado fazendo sombra no mar, e as galeras de cores alegres que saem do porto rumo às regiões longínquas onde o mar encontra o céu. Foi também em um sonho que recebeu o nome de Kuranes, pois em vigília era chamado por outro nome. Talvez fosse natural que sonhasse outro nome, pois ele era o último remanescente da família, sozinho em meio à multidão indiferente em Londres, e não havia muitas pessoas para falar-lhe e lembrá-lo de quem havia sido. O dinheiro e as terras haviam ficado para trás, e ele não se importava com as outras pessoas, mas preferia sonhar e escrever sobre os sonhos. Esses relatos suscitavam o riso em quem os lia, de modo que, passado algum tempo, guardava-os para si mesmo, e por fim parou de escrever. Quanto mais se afastava do mundo ao redor, mais exuberantes tornavam-se os sonhos; e seria inútil tentar descrevê-los no papel. Kuranes não era moderno e não pensava como outros escritores. Enquanto eles tentavam arrancar o manto encantado que recobre a vida e mostrar uma realidade abjeta em todo o seu horror, Kuranes só se preocupava com a beleza. Quando a verdade e a experiência não eram suficientes para evocá-la, ele a buscava na fantasia e na ilusão, e a encontrava batendo à porta, em meio a lembranças nebulosas de histórias infantis e sonhos.

Poucas pessoas conhecem as maravilhas que as histórias e visões da infância são capazes de revelar; pois quando ainda crianças escutamos e sonhamos, pensamos meros pensamentos incompletos, e uma vez adultos tentamos relembrar, sentimo-nos prosaicos e embotados pelo veneno da vida. Mas há os que acordam na calada da noite com estranhas impressões de morros e jardins, de chafarizes que cantam ao sol, de penhascos dourados suspensos sobre o murmúrio do oceano, de planícies que se estendem até cidades adormecidas em bronze e pedra e de heróis que montam cavalos brancos caparazonados nos limites de densas florestas; e então sabemos que olhamos para trás, através dos portões de marfim, e avistamos o mundo incrível que nos pertencia antes de sermos sábios e infelizes.

E, de repente, Kuranes reencontrou o antigo mundo de sua infância. Tinha sonhado com a casa em que nasceu; a enorme casa de pedra recoberta de hera, onde treze gerações de seus antepassados haviam morado, e onde esperava morrer. A lua brilhava, e Kuranes havia saído para a fragrante noite de verão, cruzado os jardins, descido os terraços, passado os enormes carvalhos do parque e seguido a estrada branca até o vilarejo. O vilarejo parecia muito antigo, carcomido nas bordas como a lua que começava a minguar, e Kuranes imaginou se os telhados triangulares das casinhas esconderiam o sono ou a morte.

Nas ruas, a grama crescia alta, e as janelas dos dois lados estavam ou quebradas ou espiando, curiosas. Kuranes não se deteve, mas seguiu adiante como se atendesse a um chamado. Não ousou ignorá-lo por temer que fosse uma ilusão como os desejos e ambições da vida, que não conduzem a objetivo algum. Então seguiu até uma estradinha que deixava o vilarejo em direção aos penhascos do canal e chegou ao fim de todas as coisas – ao precipício e ao abismo onde todo o vilarejo e o mundo inteiro caíam de repente no nada silencioso da infinitude, e onde até mesmo o céu parecia escuro e vazio sem os raios da lua decrépita e das estrelas vigilantes. A fé o impeliu adiante, além do precipício e para o interior do golfo, por onde desceu, desceu, desceu; passou por sonhos obscuros, amorfos, jamais sonhados, esferas cintilantes que poderiam ser partes de sonhos sonhados, e coisas aladas e risonhas que pareciam zombar dos sonhadores de todos os mundos. Então um rasgo pareceu abrir a escuridão adiante, e Kuranes viu a cidade no vale, resplandecendo ao longe, lá embaixo, contra um fundo de céu e mar com uma montanha nevada junto à costa.

Kuranes acordou assim que divisou a cidade, mas o breve relance não deixava dúvidas de que era Celephaïs, no Vale de Ooth-Nargai, além das Montanhas Tanarianas, onde seu espírito havia passado a eternidade de uma hora em uma tarde de verão em tempos longínquos, quando fugiu da governanta e deixou a quente brisa marítima embalar-lhe o sono enquanto observava as nuvens no rochedo próximo ao vilarejo. Ele protestou quando o encontraram, acordaram-no e levaram-no para casa, pois, no instante em que despertou estava prestes a zarpar em uma galera dourada, rumo às alentadoras regiões onde o mar encontra o céu. E no presente ele sentiu o mesmo ressentimento ao despertar, pois havia reencontrado a cidade fabulosa depois de quarenta anos.

Mas, passadas três noites Kuranes voltou mais uma vez a Celephaïs. Como da outra vez, sonhou primeiro com o vilarejo adormecido ou morto, e com o abismo que se desce flutuando em silêncio; então o rasgo abriu-se mais uma vez na escuridão e ele vislumbrou os minaretes reluzentes da cidade, e viu as galeras graciosas ancoradas no porto azul, e observou as árvores de ginkgo no Monte Homem balançando ao sabor da brisa marítima. Mas desta vez ninguém o acordou e, como uma criatura alada, Kuranes aos poucos foi se aproximando de uma encosta verdejante até que seus pés estivessem firmes sobre a grama. De fato, ele havia retornado ao Vale de Ooth-Nargai e à esplendorosa cidade de Celephaïs.

Kuranes caminhou junto ao pé do morro, por entre a grama perfumada e as flores resplandecentes, cruzou os gorgolejos do Naraxa pela ponte de madeira onde havia entalhado seu nome tantos anos antes e atravessou o bosque sussurrante até a enorme ponte de pedra junto ao portão da cidade. Tudo era como nos velhos tempos: as muralhas de mármore seguiam imaculadas, e as estátuas de bronze em seu topo, lustrosas. E Kuranes viu que não precisava temer pelas coisas que conhecia, pois até mesmo os sentinelas nas muralhas eram os mesmos, e jovens como no dia em que os vira pela primeira vez. Quando entrou na cidade, além dos portões de bronze e das calçadas de ônix, os mercadores e os homens montados em camelos cumprimentaram-no como se jamais houvesse ido embora; o mesmo aconteceu no templo turquesa de Nath-Horthath, onde os sacerdotes ornados com coroas de orquídeas disseram-lhe que não existe tempo em Ooth-Nargai, apenas a juventude eterna. Então, Kuranes caminhou pela Rua dos Pilares em direção à muralha junto ao mar, onde ficavam os comerciantes e marinheiros, e os estranhos homens das regiões onde o mar encontra o céu. E lá ficou por muito tempo, contemplando o porto esplendoroso no qual as águas refletiam um sol desconhecido, e onde vogavam suaves as galeras vindas de mares longínquos. Contemplou também o Monte Homem, que se erguia altaneiro sobre o litoral, com as encostas mais baixas repletas de árvores balançantes e o cume branco a tocar o céu.

Mais do que nunca, Kuranes queria navegar em uma galera até as terras distantes sobre as quais tinha ouvido tantas histórias singulares e, assim, foi em busca do capitão que muito tempo antes prometera levá-lo. Encontrou o homem, Athib, sentado no mesmo baú de especiarias onde estava da outra vez, e Athib parecia não perceber que o tempo havia passado. Os dois remaram juntos até uma galera no porto e, dando ordens aos remadores, seguiram pelas águas do Mar Cerenariano, que acaba no céu. Por vários dias o navio deslizou sobre as águas, até alcançar enfim o horizonte, onde o mar encontra o céu. A galera não parou por um instante e, sem a menor dificuldade, começou a flutuar pelo azul do céu em meio às felpudas nuvens rosadas. E, sob a quilha, Kuranes pôde ver países estranhos, rios e cidades de beleza ímpar banhados pelos raios de um sol que parecia jamais enfraquecer ou sumir. Passado algum tempo, Athib disse que a viagem estava chegando ao fim, e que eles logo desembarcariam no porto de Serannian, a cidade de mármore rosa nas nuvens, construída no litoral etéreo onde o vento oeste adentra o céu; mas, quando as torres lavradas da cidade surgiram no horizonte, ouviu-se um som em algum lugar no espaço, e Kuranes acordou no sótão em que morava em Londres.

Por muitos meses depois daquilo, Kuranes procurou em vão a resplandecente Celephaïs e as galeras celestes; e ainda que os sonhos o levassem a muitos lugares belos e inauditos, ninguém que encontrasse pelo caminho sabia dizer como encontrar Ooth-Nargai detrás das Montanhas Tanarianas. Certa noite, ele voou sobre montanhas sombrias onde havia fogueiras solitárias e esparsas, e manadas estranhas, de pelo desgrenhado e com sinetas no pescoço, e na parte mais selvagem dessa terra montanhosa, tão remota que poucos homens poderiam tê-la descoberto, encontrou uma terrível muralha ou barragem de pedra antiga que ziguezagueava por entre escarpas e vales; gigante demais para ter sido construída por homens, e de uma extensão tal que não se via nem seu começo nem seu fim. Além da muralha, no entardecer sombrio, Kuranes chegou a um país de singulares jardins e cerejeiras e, quando o sol nasceu, vislumbrou uma beleza tão intensa de flores brancas e vermelhas, folhagens e gramados, estradas brancas, riachos cristalinos, lagoas azuis, pontes lavradas e templos de telhado vermelho que, por um instante, esqueceu-se de Celephaïs, tamanho seu deleite. Mas voltou a lembrar-se da cidade ao caminhar por uma estrada branca em direção a um templo de telhado vermelho, e teria perguntado o caminho aos habitantes daquela terra se não tivesse descoberto que no local não havia homens, apenas pássaros e abelhas e borboletas. Em outra noite, Kuranes subiu uma interminável escadaria de pedra em espiral e chegou à janela de uma torre que dava para uma imponente planície e para um rio iluminado pelos raios da lua cheia; e na cidade silenciosa que se espraiava a partir da margem do rio pensou ter visto algum detalhe ou alguma configuração familiar. Teria descido e perguntado o caminho a Ooth-Nargai se não fosse pela temível aurora que assomou em algum lugar remoto além do horizonte, revelando a ruína e a antiguidade do lugar, a estagnação do rio juncoso e a morte que pairava sobre aquela terra desde que o rei Kynaratholis voltou das batalhas e defrontou-se com a vingança dos deuses.

Então Kuranes procurou em vão pela maravilhosa cidade de Celephaïs e pelas galeras que singram o firmamento até Serannian, vendo pelo caminho inúmeros prodígios e certa vez escapando por um triz de um alto sacerdote indescritível, que usa uma máscara de seda amarela sobre o rosto e vive isolado em um monastério pré-histórico no inóspito platô gelado de Leng. No fim, ele estava tão impaciente com os áridos intervalos entre uma noite e outra que decidiu comprar drogas para dormir mais. O haxixe ajudava um bocado, e uma vez mandou-o a uma zona do espaço onde não existem formas, mas gases cintilantes estudam os mistérios da existência. E um gás violeta explicou que aquela zona do espaço estava além do que Kuranes chamava de infinitude. O gás nunca tinha ouvido falar em planetas e organismos, mas identificou Kuranes como originário da infinitude onde a matéria, a energia e a gravidade existem.

Kuranes estava muito ansioso para rever os minaretes de Celephaïs e, para tanto, aumentou a dosagem; mas logo o dinheiro acabou e ele ficou sem drogas. Em um dia de verão, expulsaram-no do sótão e ele ficou perambulando sem destino pelas ruas, até atravessar uma ponte e chegar a um lugar onde as casas pareciam cada vez mais diáfanas. E foi lá que veio a realização e Kuranes encontrou o cortejo de cavaleiros de Celephaïs que o levaria de volta à cidade esplendorosa para sempre.

Os cavaleiros pareciam muito garbosos, montados em cavalos ruanos e vestidos com armaduras lustrosas e tabardos com brasões em filigrana. Eram tão numerosos que Kuranes quase os tomou por um exército, mas na verdade vinham em sua honra, uma vez que ele havia criado Ooth-Nargai em seus sonhos e, por isso, seria coroado como o deus mais alto do panteão para todo o sempre. Então deram um cavalo a Kuranes e puseram-no à frente do cortejo, e todos juntos cavalgaram majestosamente pelas montanhas de Surrey e avante, rumo às regiões onde Kuranes e seus antepassados haviam nascido. Era um tanto estranho, mas, à medida que avançavam, os cavaleiros pareciam voltar no tempo a cada galope; pois, quando passavam pelos vilarejos no crepúsculo, viam apenas casas e aldeões como os que Chaucer ou os homens que viveram antes dele poderiam ter visto, e às vezes viam outros cavaleiros montados com um pequeno grupo de escudeiros. Quando a noite caiu, aumentaram a marcha, e logo estavam em um voo espantoso, como se os cavalos galgassem o ar. Com os primeiros raios da aurora chegaram ao vilarejo que Kuranes tinha visto cheio de vida na infância, e adormecido ou morto nos sonhos. O lugar estava mais uma vez cheio de vida, e os aldeões madrugadores faziam mesuras enquanto os cavalos estrondeavam rua abaixo e dobravam a ruela que conduz ao abismo dos sonhos. Kuranes só havia adentrado o abismo à noite e assim pôs-se a imaginar que aspecto teria durante o dia; então ficou olhando, ansioso, enquanto o cortejo aproximava-se da beirada.

Assim que chegaram no aclive antes do precipício, um fulgor dourado veio de algum lugar no oeste e envolveu todo o panorama ao redor em mantos refulgentes. O abismo era um caos fervilhante de esplendor róseo e cerúleo, e vozes invisíveis cantavam exultantes enquanto o séquito de cavaleiros precipitava-se além da beirada e descia flutuando, cheio de graça, por entre nuvens cintilantes e lampejos argênteos. A suave descida durou uma eternidade, com os cavalos galgando o éter como se a galopar em areias douradas; e então os vapores luminosos abriram-se para revelar um brilho ainda mais intenso, o brilho da cidade de Celephaïs, e mais além a costa, e o pico nevando sobranceando o mar, e as galeras de cores alegres que saem do porto rumo às regiões longínquas onde o mar encontra o céu.

E, desde então, Kuranes reina sobre Ooth-Nargai e todas as regiões vizinhas ao sonho e preside sua corte ora em Celephaïs, ora em Serannian, a cidade das nuvens. Ele ainda reina por lá, e há de reinar feliz por todo o sempre, ainda que sob os penhascos de Innsmouth as marés do canal tratassem com escárnio o corpo de um mendigo que atravessou o vilarejo semideserto ao amanhecer; tratassem com escárnio e atirassem o corpo sobre as rochas ao lado das Trevor Towers cobertas de hera, onde um cervejeiro milionário, gordo e repulsivo desfruta a atmosfera comprada de uma nobreza extinta.

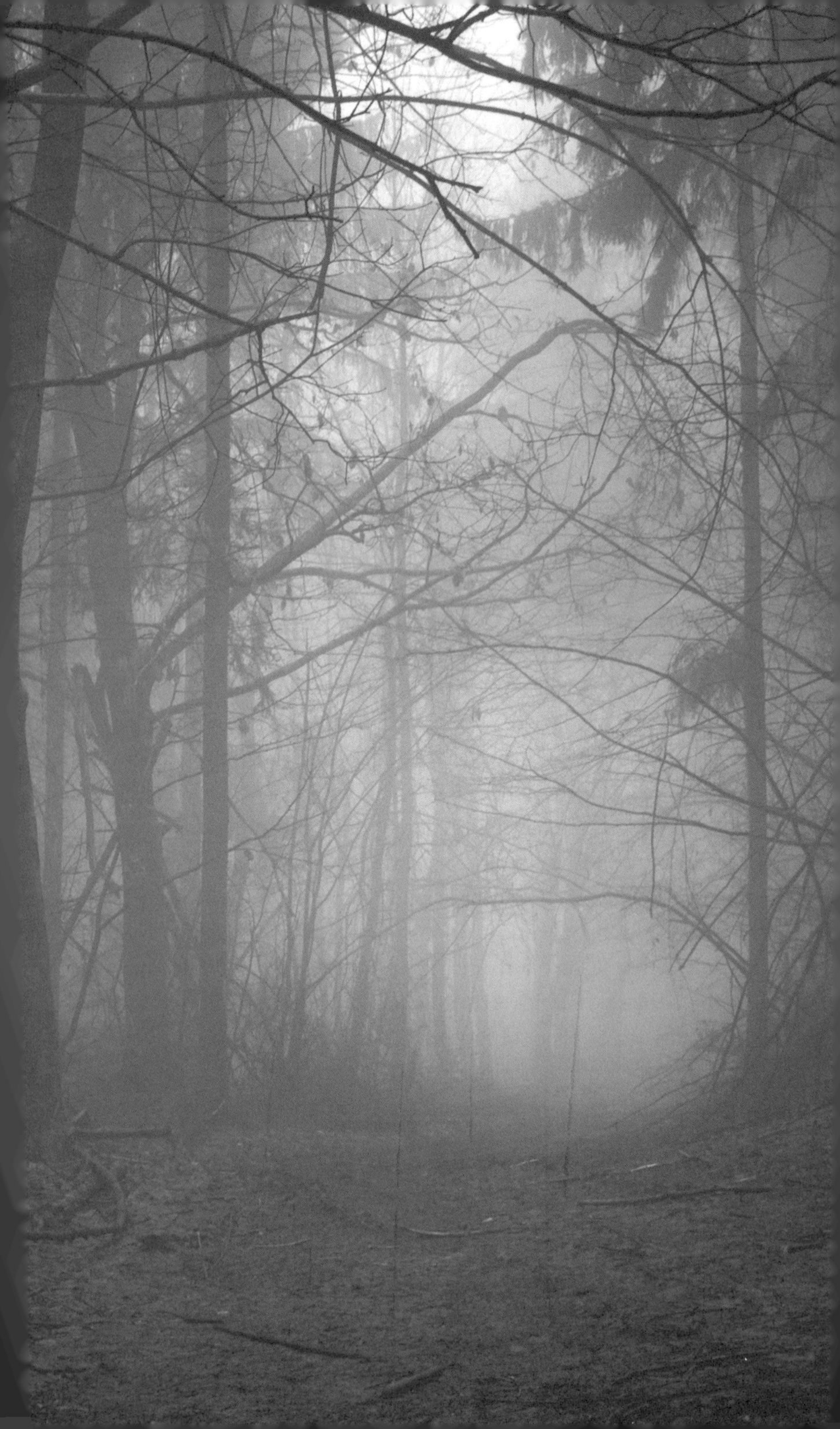

Ar frio

O senhor pede que eu explique por que temo as lufadas de ar frio; por que estremeço mais do que outros ao entrar em um recinto frio e pareço sentir náuseas e repulsa quando o frio noturno sopra em meio ao calor dos dias amenos do outono. Há quem diga que respondo ao frio como outros reagem a um odor desagradável, e a comparação parece-me apropriada. O que me proponho a fazer é relatar a circunstância mais horrenda que jamais presenciei e deixar para o senhor a decisão de aceitá-la ou não como justificativa para a minha excentricidade.

É um erro achar que o horror está necessariamente associado à escuridão, ao silêncio, à solidão. Encontrei-o em pleno sol do meio-dia, no rumor de uma metrópole e em meio a uma pensão rústica e ordinária, com uma senhoria prosaica e dois homens robustos ao meu lado. Na primavera de 1923, consegui um trabalho editorial tedioso e mal remunerado em uma revista de Nova York; sem condições de pagar grandes somas por um aluguel, comecei a vagar de uma pensão barata a outra, em busca de um quarto que combinasse as qualidades de razoável limpeza, móveis duradouros e preço acessível. Logo ficou claro que a única opção viável seria escolher entre os diferentes males, mas, passado um tempo, descobri uma casa na West Fourteenth Street que me desagradava muito menos do que as outras.

Era uma mansão de quatro andares em arenito, construída, a julgar pela aparência, no fim da década de 1840, com detalhes em madeira e mármore cujo esplendor manchado e encardido denunciava a decadência em relação a níveis de opulência outrora elevados. Sobre os quartos, grandes e espaçosos, e decorados com papéis de parede impossíveis e cornijas de estuque com ornamentos ridículos, pairava uma umidade deprimente e um resquício de cozinhas obscuras; mas o piso era limpo, as roupas de cama bastante decentes e a água quente não ficava fria ou desligada com muita frequência, de modo que comecei a encarar a pensão ao menos como um lugar tolerável para hibernar até que eu pudesse voltar de fato à vida. A senhoria, uma espanhola vulgar e quase barbada que atendia pelo nome de Herrero, não me aborrecia com fofocas nem com críticas a respeito da luz que permanecia acesa até tarde da noite em meu quarto no terceiro andar, e os demais inquilinos eram tão quietos e indiferentes quanto se podia desejar, sendo a maioria deles espanhóis só um pouco acima da maior grosseria e da maior vileza. O único aborrecimento incontornável era o fragor dos bondes na rua lá embaixo.

Eu estava na pensão havia umas três semanas quando ocorreu o primeiro incidente estranho. Pelas oito horas da noite, escutei o barulho de algum líquido espalhando-se no chão e logo senti um cheiro pungente de amônia. Olhando ao redor, percebi que o teto estava úmido e gotejava; o líquido parecia vir de um canto, no lado que dava para a rua. Ansioso por resolver o problema antes que piorasse, apressei-me em falar com a senhoria, e fui informado de que o problema se resolveria logo em breve.

— El seniôr Muñoz — gritou ela, enquanto subia os degraus correndo à minha frente —, derramô algun producto químico. El está mui doliente para tratarse, cada vez más doliente, pero no acepta aiúda de ninguiên. Es una dolência mui ecsquisita, todos los dias el toma unos bánios con tcheiro ecstránio, pero no consigue merrorar ni calentarse. Todo el trabarro doméstico es el que lo hace, el quartito está repleto de garrafas i máquinas, i el no trabarra mas como médico. Pero iá fue famosso, mio pai en Barcelona conocia el nombre, i hace poco le curô el braço a un encanador que se matchucô de repente. El hombre no sale nunca, i mio filho Esteban lheva comida i ropas i medicamentos i productos químicos para el. Dios mio, la sal amoníaca que el hombre usa para conservar el frio!

A Sra. Herrero desapareceu pela escada em direção ao quarto andar, e eu retornei ao meu quarto. A amônia parou de pingar e, enquanto eu limpava a sujeira e abria a janela para ventilar o quarto, ouvi os pesados passos da senhoria logo acima da minha cabeça. Eu jamais ouvira o Dr. Muñoz, salvo por alguns sons como os de uma máquina a gasolina, uma vez que suas passadas eram gentis e suaves. Por um instante, perguntei-me que estranha moléstia afligia esse homem, e também se a obstinação em recusar ajuda externa não seria o resultado de uma excentricidade com pouco ou nenhum fundamento. Ocorreu-me o pensamento nada original de que existe um páthos incrível na situação de uma pessoa eminente caída em desgraça.

Eu talvez jamais tivesse conhecido o Dr. Muñoz se não fosse pelo infarto súbito que me acometeu certa manhã enquanto eu escrevia em meu quarto. Os médicos já haviam me alertado para o perigo desses ataques, e eu sabia que não havia tempo a perder; assim, relembrando as palavras da senhoria a respeito da ajuda oferecida pelo inválido ao encanador ferido, arrastei-me até o quarto andar e bati de leve na porta acima da minha. A batida foi respondida em um inglês excelente por uma voz curiosa, à esquerda, que perguntou meu nome e o objetivo da visita; uma vez que as expus, a porta ao lado daquela em que bati abriu-se.

Fui recebido por uma rajada de ar frio; e, ainda que o dia fosse um dos mais quentes no fim de junho, estremeci ao cruzar o umbral rumo ao interior de um apartamento cuja decoração rica e de bom gosto surpreendeu-me naquele antro de imundície e sordidez. Um sofá-cama desempenhava seu papel diurno de sofá, e a mobília em mogno, as tapeçarias suntuosas, as pinturas antigas e as estantes de livros lembravam muito mais o gabinete de um cavalheiro do que o quarto de uma casa de pensão. Percebi que o quarto logo acima do meu – o "quartito" das garrafas e máquinas que a Sra. Herrero havia mencionado – era apenas o laboratório do doutor; e que os cômodos onde vivia ficavam no espaçoso quarto ao lado, com alcovas e um grande banheiro contíguo que lhe facultavam esconder todas as prateleiras e demais instrumentos. O Dr. Muñoz era, sem dúvida, uma pessoa culta, de boa posição social, e com bom gosto.

O homem à minha frente era baixo, mas de proporções notáveis, e usava um traje um tanto formal de corte e caimento perfeitos. Um semblante altivo de expressão dominadora, mas não arrogante, era adornado por uma curta barba grisalha, e um pincenê à moda antiga protegia os penetrantes olhos escuros e apoiava-se em um nariz aquilino, que conferia um toque mouro à fisionomia, ademais um bocado celtibérica. Os cabelos grossos e bem-cortados, que denunciavam as tesouradas precisas do barbeiro, apareciam repartidos com graça logo acima da fronte elevada; o aspecto geral era de notável inteligência e de linhagem e educação superiores.

No entanto, ao ver o Dr. Muñoz em meio à rajada de ar frio, senti uma repulsa que nada em sua aparência poderia justificar. Apenas o tom lívido da pele e a frieza do toque poderiam oferecer alguma base física para o sentimento, e até mesmo essas coisas seriam desculpáveis a levar-se em conta a notória invalidez do médico. Também pode ter sido o frio singular o que me alienou, pois uma rajada como aquela parecia anormal em um dia tão quente, e tudo o que é anormal suscita aversão, desconfiança e medo.

Mas a repulsa logo deu lugar à admiração, pois a perícia do estranho médico ficou evidente mesmo com o toque gélido e os tremores que afligiam suas mãos exangues. O Dr. Muñoz compreendeu a situação assim que pôs os olhos em mim e, em seguida, administrou-me os medicamentos necessários com a destreza de um mestre; ao mesmo tempo, assegurou-me, com uma voz modulada, ainda que oca e sem timbre, que era o mais ferrenho inimigo da morte e que havia gastado toda a fortuna e perdido todos os amigos ao longo de uma vida de experimentos devotados à sua derrota e aniquilação. Ele tinha algo em comum com os fanáticos benevolentes, e seguiu desfiando uma conversa quase trivial enquanto auscultava o meu peito e preparava uma mistura com drogas retiradas do pequeno quarto onde funcionava o laboratório.

Era óbvio que o Dr. Muñoz havia encontrado, na companhia de um homem bem-nascido, uma grata surpresa em meio à atmosfera decadente e, assim, abandonou-se a um tom incomum à medida que as lembranças de dias melhores surgiam.

A voz dele, ainda que estranha, era ao menos tranquilizadora; e eu sequer percebia sua respiração enquanto as frases bem-articuladas saíam de sua boca. O doutor tentou distrair a atenção que eu dispensava ao meu surto falando de suas teorias e experiências; e lembro da maneira gentil com que me consolou a respeito do meu coração fraco, insistindo que a força de vontade e a consciência são mais fortes do que a própria vida orgânica, de modo que um corpo mortal saudável e bem-preservado, por meio do aprimoramento científico dessas qualidades, é capaz de reter uma certa animação nervosa a despeito de graves problemas, defeitos ou até mesmo ausência de órgãos específicos. Em tom meio jocoso, disse que um dia poderia ensinar-me a viver – ou pelo menos a desfrutar de uma existência consciente – mesmo sem coração! De sua parte, o Dr. Muñoz sofria com uma pletora de moléstias que exigiam um tratamento rigoroso à base de frio constante. Qualquer aumento prolongado na temperatura poderia ter consequências fatais; e em seu apartamento gélido – onde fazia cerca de 12 ou 13 graus célsius – havia um sistema de resfriamento por amônia, cujo motor a gasolina eu ouvira repetidas vezes no meu quarto, logo abaixo.

Quando senti o coração aliviado, deixei o gélido recinto na condição de discípulo e devoto do talentoso recluso. A partir de então, comecei a fazer-lhe visitas frequentes, sempre encasacado; eu ouvia o doutor falar sobre pesquisas secretas e resultados quase hediondos e estremecia de leve ao examinar os tomos antigos e raros nas estantes. Devo acrescentar que fui quase curado da minha doença graças à sua grande habilidade clínica. O Dr. Muñoz não desprezava os encantos dos medievalistas, pois acreditava que aquelas fórmulas crípticas encerravam estímulos psicológicos bastante raros, que poderiam muito bem ter efeitos singulares em um sistema nervoso abandonado pelas pulsações orgânicas. Fiquei comovido com seu relato sobre o Dr. Torres, de Valência, que lhe havia acompanhado durante os primeiros experimentos e ficado a seu lado durante uma longa doença dezoito anos antes, de onde provinham as moléstias então presentes. Mas assim que o médico idoso salvou o colega, ele próprio sucumbiu ao implacável inimigo que havia combatido. Talvez o esforço tivesse sido grande demais; pois, em um sussurro, o Dr. Muñoz deixou claro – mesmo sem dar muitos detalhes – que os métodos usados para a cura haviam sido os mais extraordinários, com expedientes e processos um tanto malvistos pelos galenos mais velhos e conservadores.

Com o passar das semanas, notei, com grande pesar, que meu novo amigo estava de fato perdendo o vigor físico aos poucos, mas de forma incontestável, como a Sra. Herrero havia mencionado. O aspecto lívido em seu semblante intensificara-se, a voz tornara-se mais vazia e indistinta, os movimentos musculares coordenavam-se de maneira cada vez menos perfeita e a mente e a determinação apresentavam-se menos constantes e menos ativas. O Dr. Muñoz não parecia alheio a essas tristes mudanças, e aos poucos seu rosto e sua voz assumiram um tom de terrível ironia, que me fez sentir mais uma vez a leve repulsa que eu sentira de início.

Começou a desenvolver estranhos caprichos, adquirindo um gosto tão intenso por especiarias exóticas e incenso egípcio que seu quarto cheirava como a tumba de um faraó sepultado no Vale dos Reis. Ao mesmo tempo a necessidade por ar frio tornou-se mais premente, e com a minha ajuda o doutor aumentou o encanamento de amônia no quarto e modificou as bombas e a alimentação do sistema refrigerador até que conseguisse manter a temperatura do quarto entre um e quatro graus, e finalmente a dois graus negativos; o banheiro e o laboratório, naturalmente, não eram tão frios para evitar que a água congelasse e os processos químicos fossem prejudicados. O inquilino ao lado reclamou do ar frio que vazava pela porta entre os quartos, então ajudei o Dr. Muñoz a instalar pesadas tapeçarias a fim de solucionar o problema. Uma espécie de horror crescente, de origem singular e mórbida, dava a impressão de possuí-lo. O inválido discorria sem parar sobre a morte, mas dava gargalhadas ocas quando se falava em enterro ou em procedimentos funerários.

No geral, o Dr. Muñoz tornou-se um companheiro desconcertante e até mesmo repulsivo, mas a gratidão que eu sentia pela cura não me permitia abandoná-lo aos estranhos que o cercavam, e eu espanava seu quarto e cuidava de suas necessidades dia após dia, enrolado em um pesado sobretudo que eu havia comprado especialmente para esse fim. Da mesma forma, eu me encarregava de fazer suas compras, e ficava pasmo com alguns dos produtos químicos que ele encomendava de farmácias e lojas de suprimentos laboratoriais.

Uma atmosfera de pânico cada vez maior e mais inexplicável parecia pairar sobre o apartamento. Como eu disse, o prédio inteiro tinha um cheiro desagradável, mas naquele quarto era ainda pior – apesar de todas as especiarias e incensos e, também, dos químicos de odor pungente usados pelo doutor nos banhos de imersão, que insistia em tomar sozinho. Percebi que tudo deveria estar relacionado à sua doença e estremeci ao imaginar que doença poderia ser essa. Depois de abandonar o doutor inteiramente aos meus cuidados, a Sra. Herrero passou a fazer o sinal da cruz ao vê-lo; não permitia sequer que o filho Esteban continuasse a desempenhar pequenas tarefas para o velho. Quando eu sugeria outros médicos, o doente manifestava toda a raiva de que parecia capaz. Era visível que temia os efeitos físicos dessas emoções violentas, mas sua determinação e seus impulsos cresciam em vez de minguar, e ele recusava-se a ficar de cama. A lassitude da antiga doença deu lugar a um ressurgimento de seu ferrenho propósito, de forma que o Dr. Muñoz dava a impressão de estar pronto para enfrentar o demônio da morte no mesmo instante em que esse ancestral inimigo atacava-o. O pretexto das refeições, quase sempre uma formalidade, foi praticamente abandonado; e apenas o poder da mente parecia evitar um colapso total.

O Dr. Muñoz adquiriu o hábito de escrever longos documentos, que eram selados com todo o cuidado e entregues a mim, com instruções para que, após sua morte, eu os entregasse a certas pessoas que nomeava – em sua maioria indianos letrados, mas também a um físico francês outrora célebre e dado por morto, de quem se diziam as coisas mais inconcebíveis. A verdade é que queimei todos esses papéis, sem os entregar a ninguém nem abri-los. O aspecto e a voz do médico tornaram-se horríveis, e sua presença, quase insuportável. Certo dia, em setembro, um relance inesperado do médico provocou um ataque epilético em um homem que viera consertar sua lâmpada de leitura; o Dr. Muñoz receitou-lhe a medicação adequada enquanto mantinha-se longe de vista. O mais curioso é que o homem havia enfrentado todos os terrores da Grande Guerra sem sofrer nenhum surto parecido em todo o seu decurso.

Então, no meio de outubro, o horror dos horrores veio com um ímpeto vertiginoso. Uma noite, por volta das onze horas, a bomba do sistema de refrigeração quebrou, de modo que, passadas três horas, o processo de resfriamento por amônia tornou-se impossível. O Dr. Muñoz convocou-me por meio de fortes passadas contra o chão, e eu, desesperado, tentei consertar o estrago enquanto meu companheiro praguejava em um tom de voz cujo caráter estertorante e vazio estaria além de qualquer descrição. Meus débeis esforços, no entanto, mostraram-se inúteis; e, quando chamei o mecânico da oficina vinte e quatro horas, descobrimos que nada poderia ser feito antes do amanhecer, quando um novo pistão seria comprado. O medo e a raiva do eremita moribundo, tendo escalado a proporções grotescas, aparentavam estar prestes a estilhaçar o quanto restava de seu físico debilitado; ato contínuo, um espasmo fez com que levasse as mãos aos olhos e corresse até o banheiro. O Dr. Muñoz saiu de lá com o rosto coberto por ataduras, e nunca mais vi seus olhos.

A temperatura do apartamento aumentava sensivelmente, e por volta das cinco horas o doutor retirou-se para o banheiro com ordens de que eu lhe fornecesse todo o gelo que pudesse encontrar nas lojas e cafés vinte e quatro horas. Ao retornar dessas jornadas desanimadoras e largar meus espólios em frente à porta fechada do banheiro, eu escutava um chapinhar incansável lá dentro e uma voz encorpada grasnando "Mais! Mais!". Por fim o dia raiou, e as lojas abriram uma após a outra. Pedi a Esteban que me ajudasse a providenciar o gelo enquanto eu procurava o pistão da bomba ou que comprasse o pistão enquanto eu continuava com o gelo; instruído pela mãe, no entanto, o garoto recusou com veemência.

Por fim, paguei um vagabundo sórdido que encontrei na esquina da Eighth Avenue para fornecer ao paciente o gelo disponível em uma lojinha, onde o apresentei, e empenhei toda a minha diligência na tarefa de encontrar um pistão novo para a bomba e contratar mecânicos competentes para instalá-lo. A tarefa parecia interminável, e tive um surto de raiva quase como o do eremita ao perceber que as horas passavam em um ciclo frenético e incansável de telefonemas inúteis e buscas de um lugar ao outro, para lá e para cá no metrô e no bonde. Próximo ao meio-dia, encontrei uma loja de peças no centro da cidade e, por volta da uma e meia, retornei à casa de pensão com a parafernália necessária e dois mecânicos robustos e inteligentes. Fiz tudo o que pude, e tinha a esperança de que ainda houvesse tempo.

O terror negro, no entanto, havia chegado mais depressa. A casa estava em pandemônio, e acima das vozes exaltadas escutei alguém rezando em uma voz de baixo profundo. Havia algo demoníaco no ar, e os inquilinos rezavam as contas de seus rosários enquanto sentiam o cheiro fétido que saía por baixo da porta fechada do médico. O desocupado que eu arranjara havia fugido em meio a gritos e com o olhar vidrado logo após a segunda remessa de gelo; talvez como resultado de uma curiosidade excessiva. É claro que não poderia ter chaveado a porta atrás de si; mas nesse instante ela estava trancada, provavelmente pelo lado de dentro. Não se ouvia som algum exceto um inominável gotejar, lento e viscoso.

Depois de uma breve consulta à Sra. Herrero e aos mecânicos, apesar do temor que me corroía a alma, decidi pelo arrombamento da porta; no entanto, a senhoria deu um jeito de girar a chave pelo lado de fora usando um pedaço de arame. Já havíamos aberto as portas de todos os outros quartos no andar e escancarado todas as janelas ao máximo. Nesse instante, com os narizes protegidos por lenços, adentramos, trêmulos, o amaldiçoado aposento sul, que resplandecia com o sol da tarde que começava.

Uma espécie de rastro escuro e viscoso se alastrava desde a porta aberta do banheiro até a porta do corredor, e de lá para a escrivaninha, onde uma terrível poça havia se acumulado. Lá encontrei algo escrito a lápis, com uma caligrafia tenebrosa e cega, em uma folha horrivelmente manchada como que pelas mesmas garras que às pressas havia traçado as últimas linhas. Então o rastro seguia até o sofá e acabava de forma indizível.

O que estava ou havia estado no sofá é algo que não consigo e não ouso descrever. Mas aqui relato o que, com as mãos trêmulas, decifrei no papel coberto por manchas grudentas antes de puxar um fósforo e reduzi-lo a cinzas; o que decifrei horrorizado enquanto a senhoria e os dois mecânicos corriam em pânico daquele aposento infernal para balbuciar suas histórias incoerentes na delegacia mais próxima. As palavras nauseantes pareciam inacreditáveis sob o brilho dourado do sol, em meio ao ruído dos carros e caminhões vindos da movimentada Fourteenth Street, mas confesso que lhes dei crédito naquele instante. Se ainda lhes dou crédito agora, honestamente não sei. Existem coisas sobre as quais é melhor não especular, e tudo o que posso dizer é que odeio o cheiro de amônia e sinto-me prestes a desmaiar com uma lufada de ar um pouco mais frio.

"O fim", dizia o rabisco abjeto, "é aqui. Não há mais gelo – o homem olhou e fugiu. O calor aumenta a cada instante e os tecidos não têm como aguentar. Imagino que o senhor saiba – o que eu falei sobre a vontade e os nervos e o corpo preservado depois que os órgãos param de funcionar. A teoria era boa, mas na prática não tinha como durar para sempre. Houve uma deterioração gradual que eu não havia previsto. O Dr. Torres sabia, mas o choque matou-o.

Ele não suportou o que tinha de fazer – precisou levar-me a um lugar estranho e escuro quando deu atenção à minha carta e me trouxe de volta. Mas os órgãos jamais voltaram a funcionar. Tinha de ser feito à minha moda – preservação – pois fique sabendo que morri dezoito anos atrás."

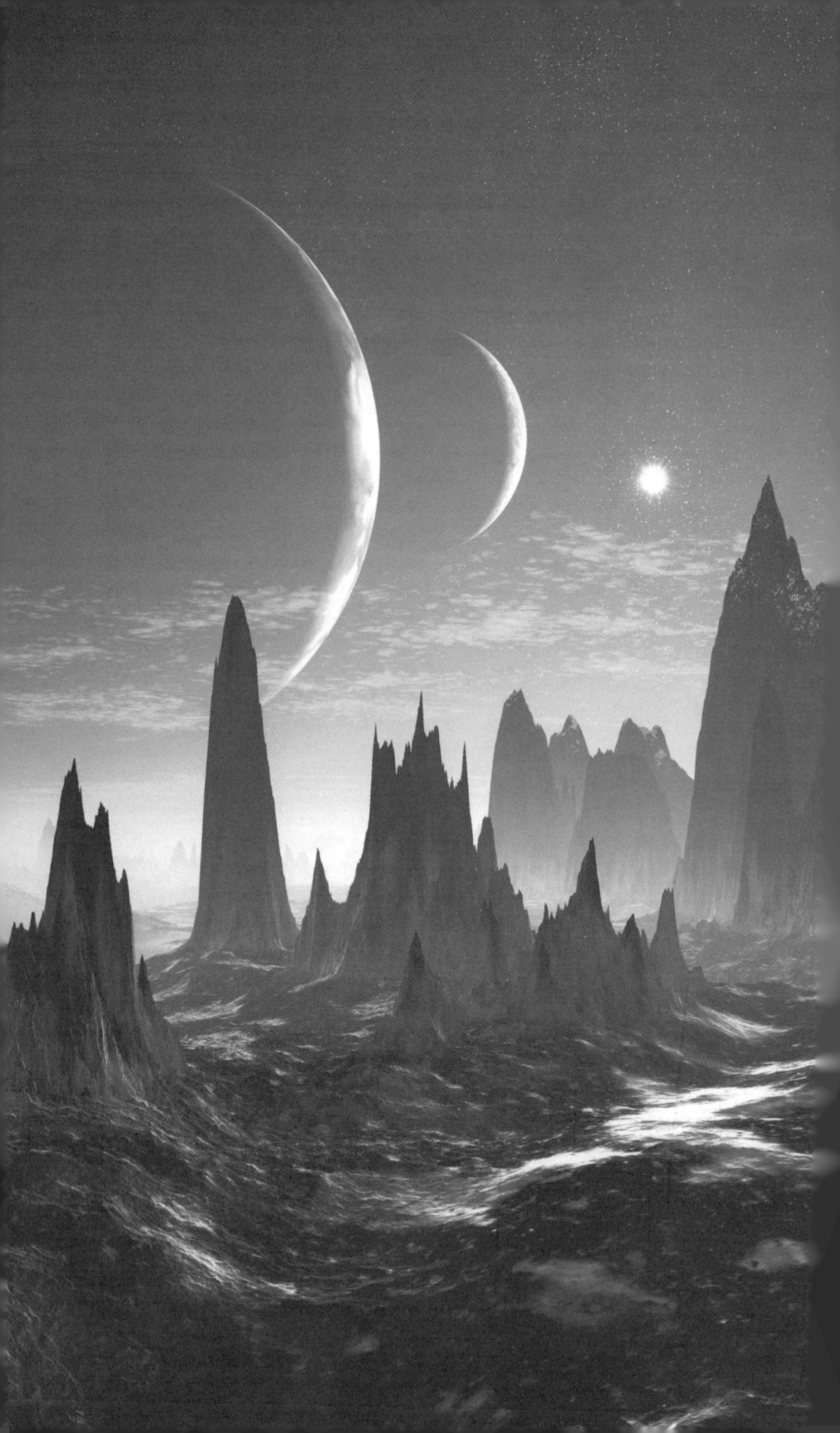

Os outros deuses

No topo dos mais altos picos da Terra habitam os deuses terrestres, que não admitem olhares humanos. Outrora habitavam picos menos elevados, porém, os homens das planícies sempre escalavam as encostas rochosas e nevadas, obrigando os deuses a buscar montanhas cada vez mais altas até que restasse apenas uma. Ao deixar os velhos picos, levavam consigo todos os sinais da antiga presença, a não ser por uma única vez, quando, segundo a lenda, deixaram uma imagem entalhada na encosta da montanha que chamavam de Ngranek.

Porém, hoje se encontram na desconhecida Kadath, na desolação gelada aonde nenhum homem se atreve a ir, e tornaram-se austeros, uma vez que não têm outro pico para onde fugir com a chegada dos homens. Tornaram-se austeros, e aos lugares de onde outrora haviam permitido que os homens afastassem-nos, hoje impedem que cheguem; ou, caso cheguem, que partam. Convém aos homens nada saber sobre Kadath na desolação gelada, pois de outro modo cometeriam a imprudência de tentar escalá-la.

Às vezes, quando sentem saudades de casa, os deuses terrestres visitam os picos que outrora habitaram na calada da noite, e choram em silêncio enquanto tentam brincar como em tempos antigos nas encostas lembradas. Os homens sentiram o pranto dos deuses na nevada Thurai, embora tenham acreditado que fosse chuva; e ouviram os suspiros dos deuses nos plangentes ventos matinais de Lerion. Os deuses são propensos a viajar em navios de nuvens, e os camponeses sábios conhecem lendas que os mantêm longe de certos picos elevados nas noites de névoa, pois os deuses não são mais tolerantes como nos tempos antigos.

Em Ulthar, que se estende além do rio Skai, outrora morava um velho que ansiava por contemplar os deuses terrestres; um homem profundamente versado nos sete livros crípticos de Hsan e conhecedor dos Manuscritos Pnakóticos da distante e gélida Lomar. Chamava-se Barzai, o Sábio, e os habitantes dos vilarejos contam histórias sobre a noite em que subiu a montanha durante um estranho eclipse.

Barzai conhecia os deuses tão a fundo que era capaz de prever suas idas e vindas, e adivinhou tantos segredos divinos que ele mesmo era considerado um semideus. Foi Barzai quem proferiu o sábio conselho aos aldeões de Ulthar quando passaram a notável lei contra a matança de gatos, e também quem primeiro contou ao jovem sacerdote Atal para onde os gatos vão à meia-noite na Véspera de São João.

Barzai era versado na sabedoria dos deuses terrestres e nutria um profundo desejo de ver-lhes o rosto. Acreditava que o grande conhecimento secreto que detinha a respeito dos deuses conseguiria protegê-lo da ira divina, e assim resolveu subir até o cume da elevada e rochosa Hatheg-Kla em uma noite em que os deuses estariam presentes.

Hatheg-Kla situa-se no interior do deserto rochoso além de Hatheg, que lhe empresta o nome, e ergue-se como uma estátua de rocha em meio ao silêncio de um templo. Ao redor do pico, as névoas ondulam sempre com tristeza, pois as névoas são as lembranças dos deuses, e os deuses amavam Hatheg-Kla quando a habitavam nos tempos antigos. Muitas vezes os deuses da Terra visitam Hatheg-Kla em navios de nuvem, projetando vapores pálidos acima das encostas enquanto executam danças reminiscentes no cume sob os raios da lua. Os habitantes de Hatheg dizem que é arriscado escalar Hatheg-Kla, e mortal escalar a montanha à noite, quando vapores pálidos ocultam o cume e a lua; mas Barzai não lhes deu ouvidos quando chegou da vizinha Ulthar com o jovem sacerdote Atal, que era seu discípulo. Atal era o único filho de um estalajadeiro, e por vezes sentia medo; no entanto, o pai de Barzai fora um landegrave que morava em um antigo castelo, de modo que não trazia nenhuma superstição vulgar no sangue e ria dos temerosos camponeses.

Barzai e Atal deixaram Hatheg e adentraram o deserto rochoso a despeito das orações dos camponeses, e falaram sobre os deuses terrestres ao pé da fogueira durante a noite. Viajaram por muitos dias, e de longe viram a sobranceira Hatheg-Kla com a auréola de névoas tristes. No décimo terceiro dia, chegaram à solitária base da montanha, e Atal falou sobre os temores que sentia. Mas Barzai era um homem vivido e erudito e não tinha medos, e assim desbravou o caminho da encosta que nenhum homem jamais havia escalado desde a época de Sansu, mencionado com espanto nos bolorentos Manuscritos Pnakóticos.

O caminho era rochoso e arriscado por conta de abismos, penhascos e pedras soltas. Mais tarde esfriou e começou a nevar; e Barzai e Atal muitas vezes escorregavam e caíam à medida que golpeavam e apoiavam-se com bastões e machados ao longo do caminho. Por fim o ar se rarefez, e a cor do céu se alterou, e os desbravadores tiveram dificuldades para respirar; mas continuaram sempre em frente, admirados com a estranheza do panorama e entusiasmados ao pensar no que aconteceria no cume quando a lua surgisse e os vapores pálidos se espalhassem. Por três dias subiram cada vez mais alto em direção ao topo do mundo, e então acamparam à espera das névoas que haviam de encobrir a lua.

Quatro noites se passaram sem que as nuvens viessem, enquanto a lua projetava o brilho frio através da fina névoa lúgubre ao redor do silencioso pináculo. Por fim, na quinta noite, que era a noite de lua cheia, Barzai viu densas nuvens ao norte, e permaneceu desperto com Atal para vê-las se aproximar.

Densas e majestosas deslizavam pelo céu, com vagar e deliberação; dispondo-se ao redor do pico muito acima dos observadores, e ocultando a lua e o cume de Hatheg-Kla. Por uma longa hora os observadores permaneceram atentos enquanto os vapores revoluteavam e a cortina de nuvens tornava-se mais densa e mais agitada. Como era versado na sabedoria dos deuses terrestres, Barzai apurou o ouvido em busca de certos sons, mas Atal sentiu o toque gelado dos vapores e o espanto da noite e encheu-se de temores. E, quando Barzai começou a subir ainda mais e a fazer gestos entusiasmados, Atal levou um bom tempo até decidir segui-lo.

Os vapores eram densos a ponto de dificultar a escalada, e embora Atal por fim tenha seguido adiante, mal conseguia distinguir o vulto de Barzai na difusa encosta mais acima em meio ao luar encoberto. Barzai avançava muito à frente, e apesar da idade parecia escalar com mais facilidade do que Atal, sem temer as encostas que aos poucos tornavam-se íngremes a ponto de intimidar qualquer um, a não ser por um homem impávido e robusto, que não se detinha ao encontrar abismos negros que Atal mal conseguia saltar. E assim continuaram a subida desvairada em meio a rochas e precipícios, com escorregões e tropeços, e por vezes espantados com a vastidão e o horrendo silêncio dos inóspitos pináculos de gelo e o mutismo das encostas graníticas.

De repente, Barzai sumiu do campo de visão de Atal e escalou um formidável penhasco que dava a impressão de avolumar-se e bloquear o caminho de qualquer explorador que não fosse inspirado pelos deuses terrenos. Atal estava lá embaixo, planejando o que fazer quando chegasse àquele ponto, quando percebeu com singular curiosidade que a luz tornara-se mais forte, como se o pico desanuviado que era o local de encontro dos deuses ao luar estivesse muito próximo. E enquanto avançava com dificuldade rumo ao formidável penhasco e ao céu iluminado, Atal sentiu temores ainda mais chocantes do que quaisquer outros que já houvesse sentido. Então, em meio às névoas altas, ouviu a voz de Barzai gritar em um deslumbramento incontrolável:

"Eu ouvi os deuses! Eu ouvi os deuses terrestres cantarem durante o recreio em Hatheg-Kla! As vozes dos deuses terrestres revelaram-se a Barzai, o Profeta! As névoas estão finas e a lua está clara, e hei de ver os deuses dançarem com abandono na Hatheg-Kla que tanto amaram na juventude. A sabedoria de Barzai tornou-o maior do que os deuses terrenos, e contra a sua vontade magias e barreiras divinas são como nada; Barzai há de contemplar os deuses, os deuses orgulhosos, os deuses secretos, os deuses da Terra que desprezam a presença do homem!"

Atal não pôde ouvir as vozes que Barzai ouviu, mas nesse ponto estava próximo ao formidável penhasco enquanto o examinava em busca de apoios para os pés. Então tornou a ouvir a voz de Barzai, mais alta e mais estridente:

"As névoas estão finas e a lua projeta sombras na encosta; os deuses têm vozes altas e estridentes e temem aproximar-se de Barzai, o Sábio, que agora é maior do que os deuses... A luz da lua bruxuleia sobre os deuses terrestres que dançam; hei de ver os vultos dançantes dos deuses que saltam e uivam ao luar... A luz está mais tênue e os deuses começam a temer..."

Enquanto Barzai gritava essas coisas, Atal percebeu uma mudança espectral em toda a atmosfera ao redor, como se as leis da Terra se curvassem perante leis maiores; pois, embora o caminho fosse mais íngreme do que nunca, a escalada havia se tornado deveras fácil, e o formidável penhasco mal representou um obstáculo quando o alcançou e deslizou perigosamente sobre a face convexa. A luz da lua havia falhado, e enquanto disparava encosta acima através das névoas, Atal ouviu Barzai, o Sábio, gritar em meio às sombras:

"A lua está escura, e os deuses terrestres dançam noite afora; o terror está no céu, pois sobre a lua abateu-se um eclipse que não foi previsto em nenhum livro dos homens ou dos deuses terrestres... Uma magia desconhecida atua sobre Hatheg-Kla, pois os gritos dos deuses assustados transformaram-se em riso, e as encostas geladas erguem-se rumo ao firmamento negro em que mergulho... Eia! Eia! Até que enfim! Na luz difusa contemplo os deuses da Terra!"

E nesse ponto, Atal, deslizando vertiginosamente para cima e atravessando elevações inconcebíveis, ouviu em meio à escuridão gargalhadas odiosas, misturadas a um grito como nenhum homem jamais ouviu a não ser no Flegetonte de pesadelos indescritíveis; um grito que pôs a reverberar o horror e a angústia de uma vida inteira de assombro em um único momento atroz:

"Os Outros Deuses! Os Outros Deuses! Os deuses dos infernos siderais que guardam os fracos deuses da Terra...! Desvie o olhar... Volte... Não veja! Não veja! A vingança dos abismos infinitos... Aquele poço infausto e amaldiçoado... Piedosos deuses da Terra, estou caindo rumo ao céu!"

E enquanto Atal fechava os olhos e tapava os ouvidos e tentava descer, contrariando a terrível força que o puxava para cima desde alturas desconhecidas, ressoou em Hatheg-Kla o terrível ribombar do trovão que acordou os bons camponeses das planícies e os honestos aldeões de Hatheg, Nir e Ulthar e levou-os a contemplar por entre as nuvens o estranho eclipse da lua que nenhum livro jamais havia previsto. E, quando a lua enfim surgiu, Atal estava a salvo nas neves mais baixas da montanha, longe dos deuses da Terra e dos Outros Deuses.

Consta nos bolorentos Manuscritos Pnakóticos que Sansu não encontrou nada além de silêncio em meio ao gelo e às rochas quando escalou Hatheg-Kla na juventude do mundo. Mas, quando os homens de Ulthar e Nir e Hatheg venceram os temores e subiram a encosta assombrada durante o dia em busca de Barzai, o Sábio, descobriram entalhado na pedra nua do cume um curioso e ciclópico símbolo com cinquenta cúbitos de largura, como se a rocha tivesse sido arrancada por um titânico cinzel. E o símbolo era similar a outro que os eruditos discerniram nas terríveis partes dos Manuscritos Pnakóticos, antigas demais para que sejam lidas. Isso eles encontraram.

Mas Barzai, o Sábio, nunca foi encontrado, nem o sacerdote Atal jamais foi persuadido a rezar pela alma do antigo mestre. Até hoje os povos de Ulthar e de Nir e de Hatheg temem eclipses e rezam à noite quando vapores pálidos encobrem o topo da montanha e a lua. E, acima das névoas em Hatheg-Kla, os deuses terrestres por vezes executam danças reminiscentes; pois sabem que estão a salvo, e amam vir desde a desconhecida Hatheg-Kla em navios de nuvens para brincar como em tempos antigos, conforme faziam quando a Terra ainda era jovem e os homens não eram dados a escalar lugares inacessíveis.

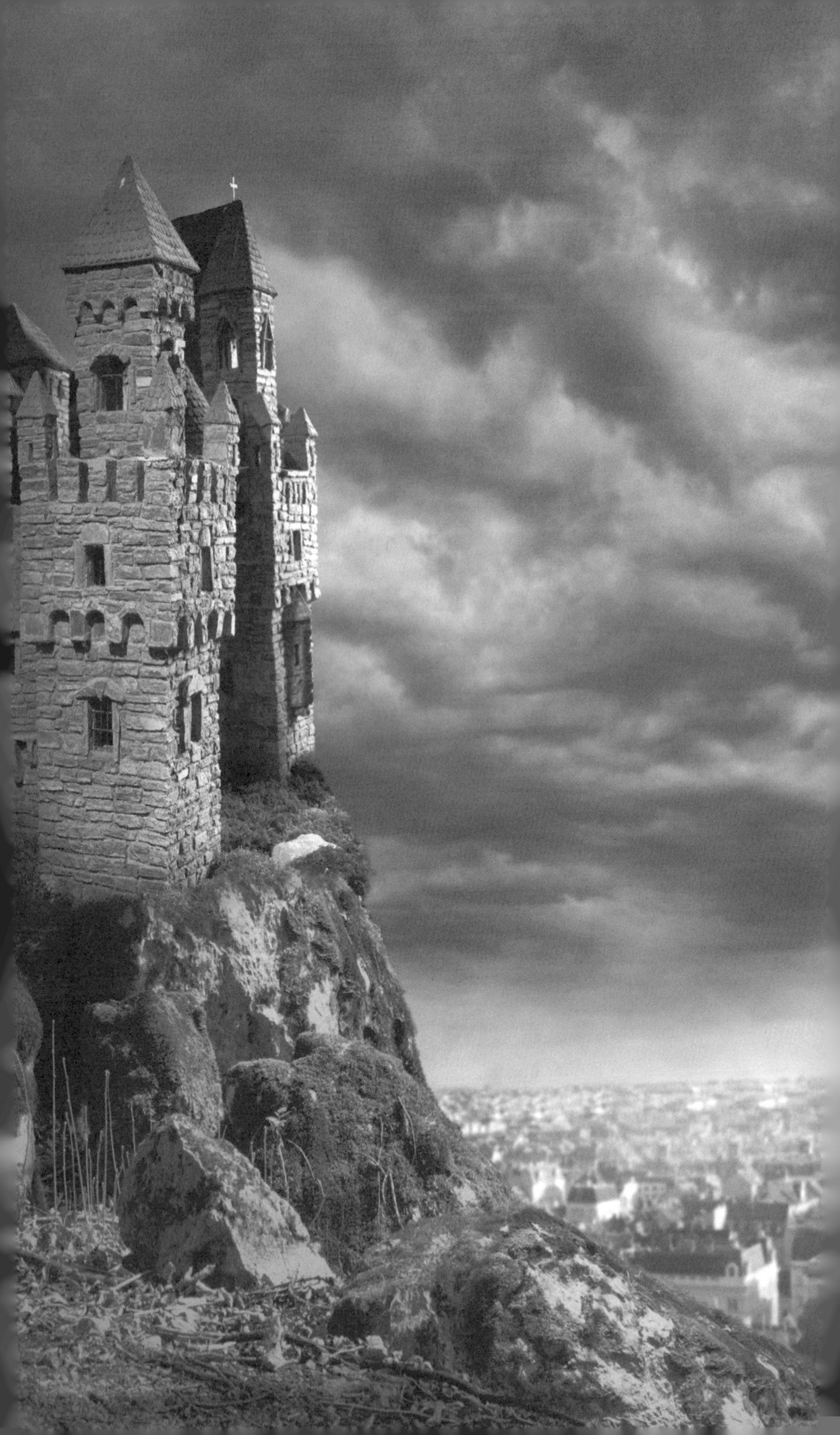

A maldição de Sarnath

Na terra de Mnar há um enorme lago de águas paradas que não é alimentado por nenhuma corrente e tampouco deságua em nenhuma outra. Há dez mil anos, erguia-se à sua margem a poderosa cidade de Sarnath, mas Sarnath não está mais lá.

Diz a lenda que em tempos imemoriais, quando o mundo era jovem, antes mesmo de os homens de Sarnath chegarem à terra de Mnar, havia outra cidade à beira do lago, a cidade de pedra cinzenta de Ib, tão antiga quanto o próprio lago e habitada por criaturas de aspecto nada agradável. Eram estranhas e feias, aliás, como a maioria das criaturas de um mundo ainda incipiente e grosseiramente organizado. Está escrito nos cilindros cor de tijolo de Kadatheron que as criaturas de Ib tinham cor verde do lago e das brumas que sobre ele pairam; olhos saltados, lábios moles caídos e orelhas estranhas, e não possuíam voz. Está escrito também que desceram da lua dentro de uma névoa. Elas, e o vasto lago parado, e a cidade de pedra cinzenta de Ib. De qualquer forma, é fato que adoravam um ídolo de pedra verde-marinho cinzelado à imagem de Bokrug, o grande lagarto aquático e diante dele dançavam grotescamente sob a luz da lua crescente. E está escrito no papiro de Ilarnek que, certa vez, elas descobriram o fogo e dali em diante acenderam fogueiras em várias cerimônias. Contudo, não há muita coisa escrita sobre essas criaturas, pois elas viveram em tempos muito ancestrais e o homem é jovem e pouco sabe dos seres muito antigos.

Depois dos tempos imemoriais, os homens chegaram à terra de Mnar; um escuro povo pastoril com seus rebanhos felpudos que construiu Thraa, Ilarnek e Kadatheron às margens do sinuoso rio Ai. Algumas tribos, mais ousadas que as outras, alcançaram a orla do lago e construíram Sarnath, em um lugar em que metais preciosos eram encontrados na terra. Não longe da cidade cinzenta de Ib, as tribos errantes assentaram as primeiras pedras de Sarnath, maravilhando-se com as criaturas de Ib. Entretanto, havia ódio misturado com a admiração, pois não achavam certo que criaturas com tal aspecto pudessem circular pelo mundo dos homens ao crepúsculo. Também não gostavam das estranhas esculturas sobre os monólitos cinzentos de Ib, pois ninguém saberia dizer por que aquelas esculturas haviam durado até a chegada dos homens; a menos que fosse porque a terra de Mnar era muito pacífica e distante da maioria dos outros mundos, fossem elas reais ou surreais.

Quanto mais os homens de Sarnath observavam as criaturas de Ib, mais aumentava seu ódio, que não diminuía quando perceberam que as criaturas eram fracas e tenras como geleia ao entrarem em contato com pedras, lanças e flechas. Assim, um dia, os jovens guerreiros, com fundas, lanças, arcos e flechas, marcharam contra Ib e exterminaram todos os seus habitantes, arremessando os corpos dissipados para o lago com longos piques, porque não desejavam tocá-los. Como não gostavam dos cinzelados monólitos cinzentos de Ib, atiraram-nos também ao lago, espantados com o grandioso trabalho que devia ter sido trazer as pedras de muito longe, como aquilo devia ter acontecido, pois não havia nada semelhante a elas na terra de Mnar ou nas terras próximas.

Assim, nada sobrou da antiga cidade de Ib, exceto o ídolo de pedra verde-marinho cinzelado à imagem de Bokrug, o lagarto d'água. Os jovens guerreiros o levaram consigo como símbolo de conquista sobre os antigos deuses e criaturas de Ib, e como um totem de dominação sobre Mnar. Mas, na noite seguinte, após o terem levado para um templo, alguma coisa terrível deve ter acontecido, pois luzes estranhas foram vistas sobre o lago e, pela manhã, as pessoas descobriram que o ídolo havia sumido, e que o sumo sacerdote Taran-Ish estava morto, aparentando ter experimentado um pavor indescritível. Antes de morrer, Taran-Ish havia rabiscado sobre o altar de crisólita, com traços rudimentares e tortuosos, a palavra MALDIÇÃO.

Depois de Taran-Ish, houve muitos sumos pontífices em Sarnath, mas o ídolo de pedra verde-marinho jamais foi encontrado. Muitos séculos se passaram ao longo dos quais Sarnath prosperou de forma extraordinária, e somente os sacerdotes e as velhas senhoras recordavam-se da garatuja de Taran-Ish sobre o altar de crisólita. Entre Sarnath e a cidade de Ilarnek instalou-se uma rota comercial, e os metais preciosos da região eram trocados por outros metais, trajes raros, joias, livros, ferramentas para os artífices e todas as coisas de luxo conhecidas pelo povo que mora à beira do sinuoso rio Ai e além. Foi assim que Sarnath se tornou poderosa, instruída e bela, e enviou exércitos de conquista para dominar as cidades vizinhas. Com o tempo, os reis de todas as terras de Mnar e de muitas terras da região prostraram-se diante do trono de Sarnath.

Sarnath, a magnífica, era a maravilha do mundo e o orgulho de toda a humanidade. Suas muralhas eram de mármore polido do deserto, com trezentos cúbitos de altura e setenta e cinco de largura, permitindo que as bigas cruzassem umas com as outras quando os homens as conduziam pela extensão do muro. Elas percorriam quarenta e nove milhas, abrindo-se somente na face virada para o lago, onde um quebra-mar de pedra verde continha as ondas que estranhamente surgiam uma vez por ano, no dia da celebração da destruição de Ib. Em Sarnath havia cinquenta ruas que iam do lago aos portões das caravanas, e outras cinquenta perpendiculares. Eram calçadas de ônix, exceto as percorridas por cavalos, camelos e elefantes, que eram cobertas de granito. E os portões de Sarnath estavam em todas as extremidades das ruas voltadas para a terra, todos de bronze e flanqueados por figuras de leões e elefantes esculpidas em algum tipo de pedra já então desconhecida entre os homens. As casas de Sarnath eram de tijolos esmaltados e calcedônia, cada uma com o jardim murado e açudes de cristal.

Foram construídas por uma estranha arte, pois nenhuma outra cidade possuía casas como aquelas, e os visitantes de Thraa, Ilarnek e Kadatheron ficavam maravilhados com as cúpulas cintilantes que coroavam toda a sua extensão.

Mas ainda mais fabulosos eram os palácios e os templos, e os jardins construídos por Zokkar, o antigo rei. Havia muitos palácios, até os menores eram mais imponentes do que qualquer outro de Thraa, Ilarnek ou Kadatheron. Eram tão altos que aquele que estivesse em seu interior poderia imaginar-se apenas abaixo do céu. Entretanto, suas paredes mostravam gigantescas pinturas de reis e exércitos ao serem iluminadas por tochas embebidas em óleo de Dothur, assustando e inspirando instantaneamente o visitante com seu esplendor. Muitas eram as colunas dos palácios, todas de mármore pintado, entalhadas com ornamentos de insuperável beleza. Na maioria dos palácios, os pisos eram mosaicos de berilo, e lápis-lazúli, e sardônica, e carbúnculo, e outros materiais nobres de tal forma organizados que o espectador podia se imaginar caminhando entre canteiros das mais raras flores. E havia também fontes que esguichavam águas aromáticas, adornados com uma arte suntuosa. O mais radiante de todos era o palácio dos reis de Mnar e das terras vizinhas. Sobre um par de leões de ouro agachados estava o trono, muitos degraus acima do piso resplandecente. Era entalhado em uma única peça de marfim, embora nenhuma criatura viva soubesse a procedência de uma peça tão imensa. Naquele palácio, havia também muitas galerias e muitos anfiteatros onde leões, homens e elefantes combatiam para a diversão dos reis. Ocasionalmente, os anfiteatros eram inundados com água desviada do lago por imponentes aquedutos e então ali encenavam-se empolgantes combates aquáticos entre nadadores e criaturas marinhas mortais.

Soberbos e assombrosos eram os dezessete templos em forma de torre, decorados com uma brilhante pedra multicolorida desconhecida em outros lugares. O maior deles se erguia a mil cúbitos de altura e era habitado pelos sumos sacerdotes que viviam com magnificência não muito inferior à dos reis. No térreo ficavam salões tão vastos e esplêndidos quanto os dos palácios em que as multidões se reuniam para adorar a Zo-Kalar, Tamash e a Lobon, os principais deuses de Sarnath, cujos relicários, envoltos em incenso, eram como os tronos dos monarcas. Os ícones de Zo-Kalar, Tamash e Lobon não eram como o de outros deuses, pois pareciam tão vivos que se poderia jurar que os próprios graciosos deuses barbados estavam sentados nos tronos de marfim. E no final de intermináveis lances de degraus de zircão ficava a câmara da torre de onde os sumos sacerdotes vigiavam a cidade, as planícies e o lago durante o dia; e a enigmática lua, os planetas e estrelas e seus reflexos no lago, à noite. Ali era praticado o secretíssimo e ancestral rito de execração de Bokrug, o lagarto d'água, e ali ficava o altar de crisólita que exibia a garatuja da maldição rabiscada por Taran-Ish.

Igualmente maravilhosos eram os jardins construídos por Zokkar, o velho rei. Eles ficavam no centro de Sarnath, em uma extensa área, e eram cercados por muros altos. Eram cobertos por uma imensa cúpula de vidro pela qual brilhavam, quando o céu estava límpido, o sol, a lua e os planetas, e da qual pendiam imagens refulgentes do sol, da lua e das estrelas quando não estava. No verão, os jardins eram refrescados por amenas brisas aromáticas habilmente sopradas por ventiladores, e no inverno eram aquecidos por fogueiras discretas, fazendo com que o ar primaveril perdurasse. Ali corriam pequenos riachos sobre pedregulhos lustrosos, dividindo campinas verdejantes e jardins de infinitos matizes, e cruzados por uma imensidão de pontes. Havia muitas cascatas em seus cursos, e muitas eram as lagoas ornadas de lírios das quais se expandiam. Sobre os riachos e lagoas deslizavam cisnes brancos, enquanto o canto de aves raras harmonizava-se com a melodia das águas. Em ordenados pátios erguiam-se as verdejantes ribanceiras adornadas, aqui e ali, por caramanchões de trepadeiras e flores suaves, e bancos de mármore e pórfiro. E havia muitos santuários e templos pequenos em que se podia repousar e orar a deuses menores.

Todos os anos, celebrava-se em Sarnath a festa da destruição de Ib, em cuja ocasião o vinho era abundante, e as canções, as danças e as diversões eram de todos os tipos. Grandes homenagens eram prestadas aos que haviam aniquilado as estranhas criaturas antigas, e a memória daquelas criaturas e de seus antigos deuses era escarnecida por dançarinos e alaudistas coroados com grinaldas de rosas dos jardins de Zokkar. E os reis olhavam na direção do lago e amaldiçoavam os ossos dos mortos que jaziam em suas profundezas.

De início, os sumos sacerdotes não gostavam dos festivais, pois corriam entre eles narrativas fantásticas de como o ídolo verde-marinho havia desaparecido e Taran-Ish morrera de medo deixando uma advertência. E diziam que de sua alta torre ocasionalmente avistavam luzes no interior das águas do lago. Mas, passados muitos anos sem calamidades, mesmo os sacerdotes riam, e maldiziam, e participavam das orgias da nobreza. De fato, eles mesmos não haviam realizado, tantas vezes, do alto de sua torre, o antiquíssimo e secreto rito de execração de Bokrug, o lagarto d'água? Assim, um milhão de anos de riquezas e prazeres transcorreu em Sarnath, maravilha do mundo e orgulho de toda a humanidade.

A festa do milésimo ano da destruição de Ib foi de uma suntuosidade inimaginável. Durante a década que a precedeu, muito se falou sobre ela na terra de Mnar, e quando o momento se aproximou, vieram a Sarnath, montados em cavalos, camelos e elefantes, homens de Thraa, Ilarneck e Kadatheron, e de todas as cidades de Mnar e de terras distantes. Diante das muralhas de mármore, na noite esperada, erguiam-se os pavilhões de príncipes e as tendas de viajantes. No interior do salão de banquete reclinava-se Nargis-Hei, o rei, embriagado de vinho envelhecido das adegas da conquistada Pnoth, rodeado pela nobreza desordeira e por escravos atarefados. Muitas guloseimas exóticas foram consumidas naquela festa; pavões das longínquas colinas de Implan, corcovas de camelos do deserto de Bnazic, nozes e especiarias dos bosques de Sydathrian, e pérolas da marítima Mtal, dissolvidas no vinagre de Thraa. Eram incontáveis os molhos, preparados pelos mais refinados cozinheiros de toda Mnar, agradáveis ao paladar de todos os convivas. Entretanto, a mais apreciada de todas as iguarias eram os grandes peixes do lago, enormes, servidos em travessas de ouro, enfeitadas de rubis e diamantes.

Enquanto o rei e seus nobres festejavam dentro do palácio e admiravam o prato principal que os esperava nas travessas douradas, outros festejavam por toda parte. Na torre do grande templo, os sacerdotes apraziam-se, e, nos pavilhões do lado de fora das muralhas, os príncipes de terras vizinhas se divertiam. Foi o sumo pontífice Gnai-Kah o primeiro a avistar as sombras que desciam da lua crescente para o lago, e as perversas névoas esverdeadas que se erguiam do lago de encontro à lua, envolvendo em um sinistro nevoeiro as torres e as cúpulas da condenada Sarnath. Em seguida, os que estavam nas torres e fora das muralhas avistaram estranhas luzes sobre a água, e viram que a rocha cinzenta Akurion, que costumava se elevar muito acima dela, perto da praia, estava quase submersa. E o medo foi crescendo vaga, mas rapidamente, até que os príncipes de Ilarneck e da distante Rokol desarmaram e dobraram suas tendas e pavilhões e partiram, embora mal soubessem o motivo de sua partida.

Então, perto da meia-noite, todos os portões de bronze de Sarnath se escancararam e despejaram uma multidão frenética que enegreceu a planície, pois todos os viajantes e príncipes visitantes fugiram apavorados. Pois, nas faces dessa multidão estava inscrita uma loucura nascida de um horror insuportável, e em suas línguas surgiam palavras tão terríveis que nenhum ouvinte parava para verificar. Homens, com os olhos arregalados de horror, uivavam sobre a visão do interior do salão de banquete do rei, onde, pelas janelas, não eram mais vistas as formas de Nargis-Hei e seus nobres e escravos, mas sim a de uma horda de indescritíveis criaturas verdes, sem voz, de olhos saltados, lábios amolecidos e caídos, e curiosas orelhas; criaturas que dançavam grotescamente, segurando com as patas as douradas travessas ornadas de rubis e diamantes que abrigavam misteriosas chamas. E os príncipes e viajantes, enquanto fugiam da condenada cidade de Sarnath sobre cavalos, camelos e elefantes, olharam novamente para o nevoeiro sobre o lago e viram a rocha cinzenta de Akurion quase submersa. Por toda a terra de Mnar e regiões adjacentes, espalharam-se as histórias dos que haviam fugido de Sarnath, e as caravanas não mais procuraram aquela cidade amaldiçoada e seus preciosos metais. Passou-se muito tempo até alguns viajantes voltarem lá e, mesmo assim, apenas os destemidos e aventureiros jovens de cabelos louros e olhos azuis, que não têm nenhum parentesco com a gente de Mnar. Esses homens foram realmente até o lago para observar Sarnath, mas, embora tivessem encontrado o enorme lago estagnado e a rocha cinzenta de Akurion, que se eleva ao seu lado perto da praia, não avistaram a maravilha do mundo e o orgulho da humanidade. Onde antes se erguiam muralhas de trezentos cúbitos e torres ainda mais altas, estendia-se agora apenas a pantanosa praia, e, onde antes viviam cinquenta milhões de pessoas, rastejava agora o odioso lagarto d'água. Nem mesmo as minas de metais preciosos existiam. A MALDIÇÃO chegara para Sarnath.

Porém, vislumbrava-se, parcialmente enterrado nos juncais, um curioso ídolo verde, um ídolo extremamente antigo, cinzelado à imagem de Bokrug, o grande lagarto d'água. Dali em diante, aquele ídolo, mantido em um relicário no alto templo de Ilarneck, foi adorado sob a espreita da lua por toda a terra de Mnar.

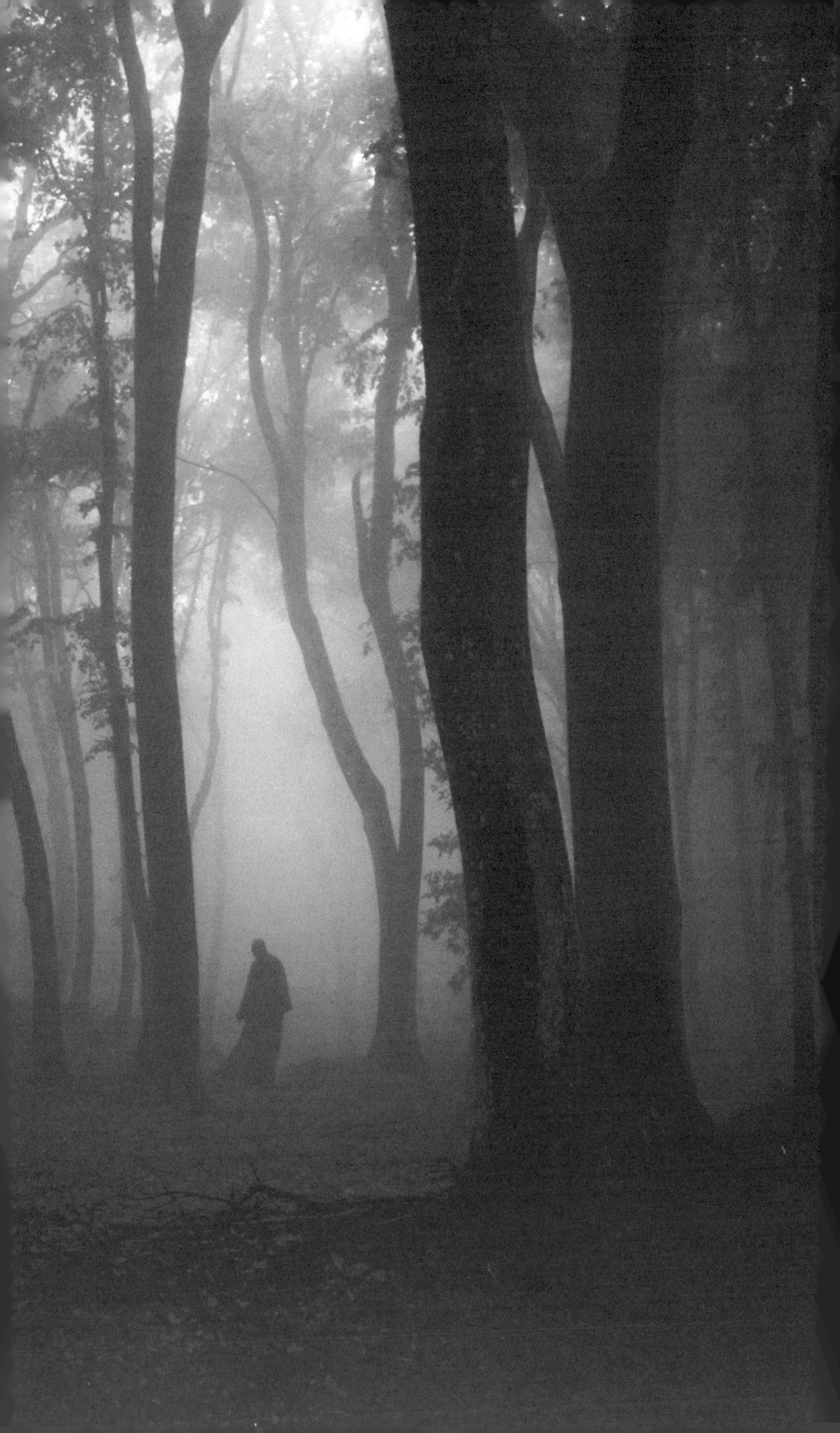

O visitante das trevas
(Dedicado a Robert Bloch)

Vi o abismo do negro universo
Onde os astros vagueiam no escuro
Onde vagam em horror indizível,
Sem passado, presente ou futuro.

Nêmesis

Investigadores cautelosos hesitarão em questionar a crença popular de que Robert Blake foi morto por um raio ou por um profundo choque nervoso proveniente de uma descarga elétrica. É verdade que a janela para a qual estava voltado encontrava-se intacta, mas a natureza já se mostrou capaz de muitos feitos extraordinários. A expressão em seu rosto poderia muito bem ter origem em algum estímulo muscular obscuro sem relação alguma com o que viu, enquanto as anotações em seu diário são claramente o resultado de uma imaginação fantasiosa excitada por certas superstições locais e certos assuntos obscuros nos quais se aprofundara. Quanto às condições anômalas na igreja abandonada de Federal Hill – o investigador perspicaz não tarda em atribuí-las a um certo charlatanismo, consciente ou inconsciente, com o qual Blake mantinha relações secretas.

Afinal de contas, a vítima foi um escritor e pintor devotado ao campo da mitologia, do sonho, do terror e da superstição, ávido em sua busca por cenas e efeitos de natureza bizarra, espectral. Sua primeira estada na cidade – em visita a um estranho homem tão interessado em ocultismo e sabedoria secreta quanto o próprio Blake – acabara em meio ao fogo e à morte, e algum instinto mórbido deve tê-lo levado de volta ao lar em Milwaukee. Apesar das negativas no diário, Blake devia conhecer as velhas histórias, e sua morte pode ter cortado pela raiz uma farsa de proporções gigantescas, destinada a ter reflexos literários.

Contudo, entre os que examinaram e correlacionaram todas as evidências, há muitos que defendem teorias menos racionais e menos triviais. Estes tendem a interpretar literalmente o conteúdo do diário de Blake e apontam fatos relevantes como a autenticidade indubitável do antigo registro da igreja, a existência comprovada da malquista e pouco ortodoxa seita da Sabedoria Estrelada antes de 1877, o sumiço documentado de um repórter investigativo chamado Edwin M. Lillibridge em 1893 e – acima de tudo – a expressão de pânico monstruoso e transfigurador no rosto do jovem artista quando seu corpo foi encontrado. Foi um adepto dessa versão que, levado ao extremo do fanatismo, atirou na baía a singular pedra angulosa e a estranha caixa lavrada em metal encontradas no velho coruchéu da igreja – no escuro coruchéu sem janelas, e não na torre onde o diário de Blake afirma que essas coisas foram originalmente encontradas. Mesmo tendo recebido inúmeras censuras oficiais e extraoficiais, este homem – um físico renomado com um gosto por lendas inusitadas – asseverou ter livrado a Terra de algo perigoso demais para habitá-la.

Entre as duas escolas opinativas, o leitor deve escolher a de sua filiação. Os documentos relatam os detalhes tangíveis de maneira cética, deixando a outros a tarefa de pintar o quadro tal como Robert Blake o via – ou imaginava ver – ou fingia ver. Façamos então um resumo atento, desapaixonado e sem pressa da nefasta cadeia de eventos segundo as opiniões expressas por seu principal ator.

O jovem Blake voltou a Providence no inverno de 1934-1935, quando ocupou o piso superior de um vistoso prédio em um gramado próximo à College Street – no alto do enorme morro a oeste junto ao campus da Brown University e atrás do prédio de mármore da John Hay Library. Era um lugar agradável e fascinante em um pequeno oásis paisagístico que lembrava os vilarejos antigos, onde enormes gatos amistosos tomavam sol no alto de um conveniente galpão. A quadrada casa georgiana tinha trapeiras no telhado, vão da porta em estilo clássico, com entalhes em leque, janelas pequenas e todas as outras características típicas das casas do início do século XIX. Dentro havia portas de seis painéis, pisos de tabuão, uma escadaria curva em estilo colonial, cornijas brancas do período adâmico e, nos fundos, alguns cômodos três degraus abaixo do nível da casa.

O escritório de Blake, de orientação sudoeste, dava para o jardim da frente em um lado, enquanto as janelas a oeste – diante das quais ficava a sua escrivaninha – revelavam o alto do morro e comandavam um esplêndido panorama dos telhados por toda a cidade baixa e também dos pores do sol místicos que lhes chamejavam por detrás. No horizonte longínquo ficavam as colinas púrpuras do campo aberto. Mais atrás, a uns três quilômetros de distância, erguia-se o vulto espectral de Federal Hill, salpicado com aglomerações de telhados e coruchéus cujas silhuetas remotas oscilavam cheias de mistério, assumindo formas incríveis enquanto a fumaça da cidade espiralava em direção ao céu e as envolvia. Blake tinha a curiosa impressão de estar olhando para um mundo desconhecido, etéreo, que poderia ou não se refugiar em sonhos caso um dia resolvesse procurá-lo e desvendá-lo pessoalmente.

Após solicitar o envio da maioria dos livros que tinha em casa, Blake comprou móveis antigos de acordo com a nova morada e dedicou-se a escrever e a pintar – morando sozinho e cuidando ele próprio dos simples afazeres domésticos. O estúdio ficava em um quarto voltado para o norte, no sótão, onde as trapeiras propiciavam uma iluminação admirável. Durante aquele primeiro inverno, Blake escreveu cinco de suas mais célebres histórias – *The Burrower Beneath*, *The Stairs in the Crypt*, *Shaggai*, *In the Vale of Pnath* e *The Feaster from the Stars* – e pintou sete telas; estudos de monstros inomináveis, inumanos, e cenários alienígenas e extraterrenos.

Ao pôr do sol, muitas vezes sentava-se à escrivaninha e ficava olhando como que em um sonho em direção ao Ocidente – as torres negras do Memorial Hall logo abaixo, o campanário do tribunal geórgico, os sobranceiros pináculos do centro da cidade e, ao longe, o difuso outeiro rematado pelos coruchéus, cujas ruas desconhecidas e empenas labirínticas exerciam tamanha influência sobre sua imaginação. Dos poucos conhecidos na região, aprendeu que a colina mais distante era o bairro italiano, ainda que a maioria das casas fossem herança de antigos americanos e irlandeses. De tempos em tempos, Blake apontava o binóculo para aquele mundo espectral e inalcançável além da fumaça; escolhia telhados e chaminés e coruchéus individuais e especulava sobre os mistérios curiosos e bizarros que poderiam abrigar. Mesmo com o instrumento óptico, Federal Hill parecia de alguma forma alienígena, meio fabulosa e ligada aos portentos irreais e intangíveis nas histórias e telas do próprio Blake. A sensação persistia por muito tempo depois que o morro desaparecia no crepúsculo violeta, salpicado de lâmpadas, e as luzes do tribunal e o holofote vermelho do Industrial Trust iluminavam-se para deixar a noite grotesca.

De todos os objetos distantes em Federal Hill, uma certa igreja enorme e escura era o que mais fascinava Blake. A construção ficava muito visível durante certas horas do dia, e ao pôr do sol a enorme torre e o coruchéu pontiagudo erguiam-se como sombras contra o céu chamejante. A igreja parecia ficar em terreno elevado, pois a sinistra fachada e a lateral norte, avistada de viés com o telhado oblíquo e o alto de enormes frestões, dominavam orgulhosas as inúmeras cumeeiras e chaminés ao redor. De aspecto particularmente tétrico e austero, o templo parecia ser construído em pedra manchada e desgastada pela fumaça e pelas tempestades de mais de um século. O estilo, pelo que se via com o binóculo, era remanescente dos primórdios do neogótico que precedeu o opulento período Upjohn e mantinha algumas das silhuetas e proporções da época georgiana. Talvez datasse de 1810 ou 1815.

À medida que os meses passavam, Blake observava a severa estrutura distante com crescente interesse. Como as enormes janelas jamais se acendiam, ele sabia que a construção devia estar abandonada. E, quanto mais observava, mais sua fantasia excitava-se, até que por fim começou a imaginar coisas um tanto curiosas. Blake acreditava que uma aura vaga e singular de sordidez pairava sobre a igreja, de modo que os pombos e andorinhas evitavam-lhe os beirais esfumaçados. Ao redor de outras torres e campanários, o binóculo revelava grandes revoadas de pássaros, mas na igreja eles não pousavam jamais. Enfim, foi isso o que Blake pensou e anotou em seu diário. Ele mostrou o lugar a vários amigos, mas nenhum deles jamais estivera em Federal Hill ou tinha a mais remota ideia sobre o que a igreja era ou havia sido.

Na primavera, uma grande inquietude apossou-se de Blake. Ele havia começado seu tão planejado romance – baseado na suposta sobrevivência do culto às bruxas no Maine –, mas, por algum estranho motivo, não conseguiu levar a ideia adiante. Com frequência cada vez maior, sentava-se à janela oeste e punha-se a observar o morro longínquo e o austero coruchéu negro evitado pelos pássaros. Quando as delicadas folhas surgiram nos galhos do jardim, o mundo foi tomado por uma nova beleza, mas a inquietação de Blake só fez aumentar. Foi então que pensou pela primeira vez em atravessar a cidade e escalar aquela fabulosa colina em direção ao mundo de sonhos envolto em fumaça.

No fim de abril, logo antes da Noite de Santa Valburga à sombra de Aeon, Blake fez sua primeira incursão rumo ao desconhecido. Depois de avançar pelas intermináveis ruas do centro e pelos ermos quarteirões decrépitos mais além, enfim chegou até a avenida ascendente com a escadaria de degraus gastos pelo século, os pórticos dóricos abaulados e as cúpulas de vidros baços que, segundo imaginava, conduziriam ao inalcançável mundo além da névoa que de longa data conhecia. Havia imundas placas brancas e azuis com nomes de ruas que não significavam nada para ele, e nesse instante Blake percebeu os rostos estranhos e sombrios da multidão de passantes e os símbolos estrangeiros acima de curiosas lojas em construções marrons desgastadas pelo tempo. Em nenhuma parte ele encontrou os objetos que avistara de longe; assim, mais de uma vez imaginou que a Federal Hill daquele vislumbre longínquo era um mundo de sonho que jamais seria galgado em vida por pés humanos.

De vez em quando surgia a fachada de uma igreja em ruínas ou de um coruchéu prestes a desmoronar, mas nunca o vulto obscuro que ele procurava. Quando perguntou a um lojista pela enorme igreja de pedra, o homem sorriu e sacudiu a cabeça, ainda que falasse inglês de bom grado. À medida que Blake subia, a região tornava-se cada vez mais estranha, com intrincados labirintos de agourentas ruelas marrons que conduziam eternamente ao sul. Ele atravessou duas ou três avenidas largas e, a certa altura, imaginou ter vislumbrado uma torre familiar. Mais uma vez perguntou a um comerciante pela imponente igreja de pedra, e nessa segunda tentativa ele poderia jurar que a alegação de ignorância era falsa. O rosto bronzeado do homem tinha uma expressão de medo que ele tentava ocultar, e Blake o viu fazer um curioso gesto com a mão direita.

Então, de repente, um coruchéu negro delineou-se contra o céu anuviado à sua esquerda, acima dos incontáveis telhados marrons que ladeavam as emaranhadas ruelas ao sul. Blake soube no mesmo instante do que se tratava e apressou-se pelas vielas sórdidas e sem pavimentação que subiam a partir da avenida. Por duas vezes ele perdeu o caminho, mas por algum motivo não ousou fazer perguntas aos patriarcas e donas de casa que estavam sentados na soleira das portas nem às crianças que gritavam e brincavam no barro das vielas sombrias.

Enfim avistou a torre a sudoeste, e um enorme vulto de pedra ergueu-se, sinistro, no fim de uma ruela. Nesse instante, Blake estava em uma praça aberta, de pavimentação esquisita, com um elevado muro de aterro no extremo oposto. Este era o fim de sua busca, pois, sobre o vasto platô com grades de ferro e coberto de hera que a muralha sustentava – um mundo à parte, menor, dois metros acima das ruas em volta –, assomava um vulto titânico e nefasto cuja identidade, apesar da nova perspectiva de Blake, estava além de qualquer dúvida.

A igreja deserta apresentava sinais de profunda decrepitude. Alguns dos altos contrafortes de pedra haviam desabado, e muitos remates frágeis jaziam meio perdidos entre ervas daninhas e gramas marrons e negligenciadas. As fuliginosas janelas góticas estavam em boa parte intactas, embora vários mainéis de pedra estivessem faltando. Blake perguntou-se como as vidraças pintadas com tamanha negrura poderiam ter resistido tão bem aos conhecidos hábitos dos garotos mundo afora. As portas maciças estavam em excelentes condições e firmemente trancadas. Em torno do espigão da muralha, cercando todo o terreno, havia uma cerca de ferro cujo portão – no alto do lance de escadas que subia desde a praça – estava fechado a cadeado. O caminho do portão até a igreja estava coberto por mato. A desolação e a decadência estendiam-se como uma mortalha sobre o lugar, e nos beirais vazios de pássaros e nas muralhas negras, despidas de hera, Blake sentiu um toque sinistro que não seria capaz de definir.

Havia pouquíssimas pessoas na praça, mas Blake viu um policial no lado norte e aproximou-se dele com perguntas acerca da igreja. O homem era um irlandês robusto, e a Blake pareceu estranho que não fizesse muito mais do que se persignar e balbuciar coisas sobre as pessoas jamais falarem a respeito daquela construção. Quando Blake o pressionou, o policial irlandês disse às pressas que o padre italiano advertia a todos contra a igreja, jurando que outrora um mal monstruoso havia habitado o lugar e lá deixado sua marca. O próprio irlandês ouvira histórias lúgubres contadas a meia-voz por seu pai, que relembrava certos sons e rumores da infância.

Nos velhos tempos, uma seita vil reunia-se lá – uma seita clandestina que invocava coisas terríveis dos ignotos abismos da noite. Fora preciso um excelente padre para exorcizar o que então surgiu, embora algumas pessoas dissessem que apenas a luz poderia bani-lo. Se o padre O'Malley estivesse vivo, teria muitas histórias para contar. Mas naquele ponto não havia mais nada a fazer, salvo esquecer a igreja. Ela já não prejudicava ninguém, e seus proprietários estavam mortos ou vivendo em lugares distantes. Todos haviam fugido como ratos após os ameaçadores boatos de 1877, quando as pessoas começaram a notar que de tempos em tempos alguém sumia da vizinhança. Um dia a cidade tomaria a frente e assumiria a posse da construção devido à inexistência de herdeiros, mas essa medida não resultaria em nada de bom. O melhor seria deixá-la ruir com o passar dos anos e não mexer com coisas que devem descansar para sempre em abismos sombrios.

Depois que o policial afastou-se, Blake ficou contemplando o soturno monte dos coruchéus. Ficou empolgado com a ideia de que aos outros a estrutura parecesse tão sinistra quanto para si, e assim passou a imaginar que verdade esconder-se-ia por trás das velhas histórias contadas pelo policial. O mais provável era que fossem meras lendas motivadas pelo aspecto maléfico da construção, mas as semelhanças com uma de suas próprias histórias eram incríveis.

O sol da tarde emergiu de trás das nuvens que se dispersavam, mas pareceu incapaz de iluminar as paredes manchadas e fuliginosas do velho templo que assomava no altaneiro platô. Era estranho que o verde primaveril não houvesse tocado as ervas marrons e secas daquele pátio cercado. Aos poucos Blake aproximou-se do terreno elevado e começou a examinar o muro e a cerca enferrujada em busca de uma via de ingresso. Sobre o templo obscuro pairava um fascínio terrível, a que não se podia resistir. A cerca não tinha nenhuma abertura próxima aos degraus, mas no lado norte algumas barras estavam faltando. Blake subiu os degraus e caminhou pelo estreito espigão da muralha, por fora da cerca, até alcançar a passagem. Se as pessoas nutriam um temor tão intenso pela construção, ele não haveria de encontrar nenhum obstáculo.

Blake estava no aterro e já quase no interior da cerca antes que alguém o notasse. Então, olhando para baixo, viu as poucas pessoas que estavam na praça afastarem-se e fazer o mesmo gesto que o lojista da avenida fizera com a mão direita. Muitas janelas fecharam-se, e uma mulher gorda disparou em direção à rua e arrastou algumas crianças pequenas para dentro de uma casa decrépita e sem pintura. A falha no cercado não oferecia dificuldades à passagem, e sem demora Blake estava a desbravar o emaranhado de mato putrescente no terreno abandonado. Aqui e acolá o fragmento desgastado de uma lápide indicava que o local era um antigo cemitério; mas isso deveria ter sido em épocas remotas. O vulto descomunal da igreja pareceu-lhe ainda mais opressivo de perto, mas Blake logo se recompôs e aproximou-se para tentar abrir as enormes portas da fachada. Todas estavam trancadas à chave, e assim ele começou a rodar o perímetro da construção ciclópica em busca de alguma entrada secundária mais acessível. Sequer nesse instante Blake poderia dizer ao certo se desejava entrar naquele covil de abandono e escuridão, mas a estranheza do lugar impelia-o adiante.

Uma janela aberta e desprotegida que dava para o porão ofereceu-lhe a passagem necessária. Ao perscrutar o interior, Blake viu um abismo subterrâneo de teias de aranha e poeira, iluminado pelos tênues raios de sol que filtravam pela janela a oeste. Destroços, barris velhos, caixas arruinadas e várias peças de mobiliário surgiram diante de seus olhos, embora tudo estivesse coberto por uma mortalha de poeira que abrandava todos os contornos salientes. As ruínas enferrujadas de uma fornalha de ar quente indicavam que o prédio estivera em uso e em boas condições até a metade do período vitoriano.

Agindo quase por instinto, Blake deslizou o corpo pela janela e desceu do outro lado, no chão de concreto forrado de pó e obstruído pelos destroços. O porão abobadado era amplo e não tinha repartições; em um canto à direita, envolto em densas trevas, havia uma arcada sombria que sem dúvida conduzia ao andar superior. Blake foi acometido por um peculiar sentimento de opressão por estar de fato no interior da igreja espectral, mas logrou contê-lo enquanto procedia a uma cautelosa exploração, encontrando em seguida um barril intacto em meio ao pó e rolando-o até a janela aberta para assim garantir seu egresso. Então, tomando coragem, atravessou o amplo espaço festoado por teias de aranha em direção à arcada. Meio sufocado pela onipresença do pó e coberto por diáfanas fibras fantasmáticas, Blake se aproximou e começou a galgar os degraus carcomidos que se erguiam rumo às trevas. Não havia iluminação alguma, mas ele prosseguia às apalpadelas. Passada uma curva acentuada, encostou em uma porta logo à frente e, depois de tatear mais um pouco, encontrou sua antiga trava. A porta abriu para dentro, e além do umbral Blake avistou um corredor iluminado, com painéis roídos pelos cupins em ambos os lados.

Depois de chegar ao térreo, Blake começou uma rápida exploração. Todas as portas internas estavam destrancadas, de modo que lhe foi possível transitar à vontade entre os vários ambientes. A gigantesca nave era um lugar quase preternatural com os aglomerados e as montanhas de pó que recobriam os bancos, o altar, o púlpito e o dossel, e também com as titânicas cordas de teia de aranha que se estendiam em meio aos arcos pontiagudos da galeria e envolviam o conjunto das colunas góticas. No geral, aquela desolação silenciosa irradiava uma horripilante luz plúmbea, enquanto os raios do sol poente se esgueiravam pelos estranhos vitrais enegrecidos das enormes janelas absidais.

Os vitrais nessas janelas estavam tão obscurecidos pela fuligem que Blake mal pôde decifrar o que representavam, mas o pouco que conseguiu identificar não lhe agradou em nada. Os desenhos eram em grande parte convencionais, e o conhecimento de Blake acerca de símbolos obscuros revelou-lhe um bocado sobre alguns dos vetustos motivos. Os poucos santos representados traziam no semblante expressões visivelmente criticáveis, ao passo que um dos vitrais parecia trazer simples espirais de peculiar luminosidade. Afastando-se das janelas, Blake notou que a cruz envolta por teias de aranha logo acima do altar não era uma cruz convencional, mas representava o ankh primitivo ou a cruz ansata do Egito umbroso.

Nos fundos, em uma sacristia junto à abside, Blake descobriu uma escrivaninha podre e estantes que se erguiam até o teto, repletas de livros bolorentos e rotos. A essa altura, ele recebeu o primeiro choque de horror objetivo, pois os títulos dos livros disseram-lhe um bocado. Eram as coisas negras e proibidas sobre as quais a maioria das pessoas em sã consciência jamais ouvira falar, ou então ouvira falar apenas em sussurros furtivos e temerosos; os repositórios proscritos e temidos de ambíguas fórmulas secretas e imemoriais que haviam acompanhado o fluxo do tempo desde a juventude dos homens e das eras difusas e fabulosas anteriores ao nascimento do primeiro homem. O próprio Blake lera uns quantos deles – uma versão latina do execrando *Necronomicon*, o sinistro *Liber Ivonis*, o infame *Cultes des Goules*, de Comte d'Erlette, o *Unassprechlichen Kulten*, de Von Juntz e o infernal *De Vermis Mysteriis*, do velho Ludvig Prinn. Mas havia outros que conhecia apenas de nome, ou sequer assim – os Manuscritos Pnakóticos, o *Livro de Dzyan* e um volume caindo aos pedaços com caracteres absolutamente indecifráveis, que no entanto trazia certos símbolos e diagramas pavorosamente familiares aos iniciados nas ciências ocultas. Ficou evidente que os rumores locais não eram infundados. O lugar outrora havia sediado uma ordem maléfica mais antiga do que a humanidade e maior do que o universo conhecido.

Na escrivaninha decrépita havia um pequeno registro encadernado em couro que continha estranhos apontamentos em algum sistema criptográfico. As anotações no manuscrito consistiam nos símbolos tradicionais usados hoje na astronomia e em tempos remotos na alquimia, na astrologia e em outras artes duvidosas – figuras representando o sol, a lua, os planetas, os aspectos e os signos zodiacais –, amontoados em páginas inteiras de texto, com divisões e quebras de parágrafo que sugeriam que cada símbolo correspondia a uma letra do alfabeto.

Na esperança de mais tarde resolver o criptograma, Blake pôs o volume no bolso do casaco. Muitos dos enormes tomos nas estantes fascinavam-no a extremos inefáveis, e ele sentiu-se tentado a tomá-los de empréstimo em um momento oportuno. Imaginou como os livros poderiam ter permanecido lá por tanto tempo sem que ninguém os perturbasse. Seria ele o primeiro a vencer o medo implacável e dominador que por quase sessenta anos havia protegido aquele lugar deserto contra os visitantes?

Ao dar por encerrada a exploração no piso térreo, Blake mais uma vez atravessou a poeira da nave espectral em direção ao vestíbulo, onde avistara uma porta e uma escadaria que julgava conduzir à torre e ao coruchéu enegrecidos – objetos que conhecia de longe havia muito tempo. A subida foi uma experiência sufocante, visto que o pó acumulava-se em grossas camadas enquanto as aranhas mostravam do que eram realmente capazes naquele espaço exíguo. A escada era uma espiral com degraus altos e estreitos, e a espaços Blake passava por uma janela baça que oferecia um vertiginoso panorama da cidade. Mesmo sem ter visto corda alguma no andar de baixo, esperava descobrir um sino ou um carrilhão na torre cujos frestões e adufas seu binóculo amiúde examinara. Porém, ele estava fadado à decepção; pois, quando ganhou o alto da escadaria, encontrou o interior da torre vazio de sinos e visivelmente equipado para fins muito diferentes.

O aposento quadrado, com cerca de cinco metros de lado, recebia a iluminação tênue de quatro frestões, um em cada extremo, cobertos pela proteção das adufas decrépitas. Estas, por sua vez, haviam sido guarnecidas com telas firmes e opacas, que no entanto já estavam em boa parte apodrecidas. No centro do chão poeirento erguia-se um pilar de pedra estranhamente anguloso com cerca de um metro e vinte de altura e sessenta centímetros de diâmetro, coberto em ambos os lados por hieróglifos bizarros, de execução primitiva e absolutamente irreconhecíveis. No pilar repousava uma caixa metálica de peculiar formato assimétrico; a tampa estava aberta para trás e o interior abrigava o que, sob o denso pó das décadas, parecia ser um objeto oval ou um esfera irregular com cerca de dez centímetros de comprimento. Ao redor do pilar, quase em círculo, estavam dispostas sete cadeiras góticas de espaldar alto e muito bem conservadas, enquanto atrás delas, ao longo dos painéis escuros que revestiam as paredes, viam-se sete imagens colossais de estuque arruinado, pintadas de preto, que lembravam acima de tudo os crípticos megalíticos entalhados da misteriosa Ilha da Páscoa. Em um dos cantos da câmara recoberta por teias de aranha havia uma escada incrustada na parede, conduzindo a um alçapão fechado que dava acesso ao coruchéu sem janelas logo acima.

Quando Blake acostumou-se à iluminação tênue, percebeu os peculiares baixos-relevos na estranha caixa de material amarelado. Ao aproximar-se, tentou limpar a poeira com as mãos e com um lenço, e notou que as figuras eram de uma raça monstruosa e inteiramente alienígena; representações de entidades que, embora parecessem vivas, não guardavam semelhança alguma com as formas de vida que evoluíram em nosso planeta. A esfera de dez centímetros revelou-se na verdade um poliedro quase negro com veios rubros e inúmeras superfícies planas irregulares; ou uma notável espécie de cristal, ou um objeto factício entalhado em rocha de alto polimento. O poliedro não tocava no fundo da caixa; mantinha-se suspenso por meio de uma cinta de metal ao redor de seu centro, com sete apoios de formato inusitado que se estendiam na horizontal até os ângulos da parede interna da caixa, na altura do topo. A pedra, uma vez percebida, exerceu sobre Blake um fascínio quase alarmante. Ele mal conseguia desgrudar os olhos do objeto e, enquanto observava as superfícies brilhosas, por pouco não o imaginava transparente, com difusos universos fabulosos no interior. Em sua imaginação flutuavam cenas de orbes alienígenas com enormes torres de pedra e de outros orbes com montanhas titânicas sem nenhum sinal de vida, e de espaços ainda mais remotos onde apenas uma agitação na negrura indefinível indicava a presença de consciência e de vontade.

Quando por fim desviou o olhar, foi para notar um peculiar amontoado de pó no canto mais distante, próximo à escada que dava acesso ao coruchéu. Blake não saberia dizer por que motivo aquilo chamou sua atenção, mas algo na silhueta transmitiu-lhe uma mensagem inconsciente. Enquanto caminhava com dificuldade naquela direção e desvencilhava-se das teias de aranha à medida que avançava, começou a perceber alguma coisa funesta. A mão e o lenço não tardaram em revelar a verdade, e Blake arquejou com uma atordoante mistura de emoções. Era um esqueleto humano, que deveria estar lá havia muito tempo. As roupas estavam viradas em andrajos, mas alguns botões e fragmentos de tecido indicavam um terno masculino cinza. Havia mais evidências – sapatos, fivelas de metal, enormes abotoaduras de punhos duplos, um alfinete de gravata à moda antiga, um crachá de repórter com o nome do antigo *Providence Telegram* e uma carteira de couro caindo aos pedaços. Blake examinou atentamente esta última, descobrindo em seu interior diversas cédulas antigas, um calendário promocional de celuloide de 1893 com o nome "Edwin M. Lillibridge" e um papel coberto de apontamentos a lápis.

Esse papel era de natureza um tanto críptica, e Blake o leu com muita atenção junto à baça janela oeste. O texto desconexo incluía frases como as que seguem:

Prof. Enoch Bowen volta do Egito em maio de 1844 – compra a antiga Igreja do Livre-Arbítrio em julho – autor de célebres trabalhos arqueológicos ocultistas.

Dr. Drowne da 4ª Batista alerta contra a Sabedoria Estrelada no sermão de 29 dez. 1844. Congregação 97 no fim de 1845.

1846 – Três desaparecimentos – primeira menção ao Trapezoedro Reluzente. Sete desaparecimentos 1848 – começam as histórias de sacrifício de sangue.

Investigação 1853 não dá em nada – histórias de sons.

Pe. O'Malley fala em adoração ao demônio com a caixa encontrada entre as grandes ruínas egípcias – diz que eles invocam uma coisa incapaz de existir na luz. Foge da luz fraca e é banido pela luz forte. Então precisa ser invocado outra vez. Provavelmente recebeu a informação no leito de morte de Francis X. Feeney, que se converteu à Sabedoria Estrelada em 1849. Segundo dizem essas pessoas, o Trapezoedro Reluzente mostra-lhes o céu & outros mundos, & o Assombro das Trevas de algum modo lhes conta segredos.
História de Orrin B. Eddy 1857. Invocam-no olhando para o cristal & falam em uma língua que lhes é própria.

200 ou mais na cong. 1863, sem contar os homens na frente de batalha.
Garotos irlandeses reúnem-se em frente à igreja após o desaparecimento de Patrick Regan em 1869.

Artigo velado no J. de 14 de março de 1872, mas as pessoas não comentam. Seis desaparecimentos 1876 – comitê secreto convoca o prefeito Doyle.

Providências prometidas para fev. 1877 – a igreja fecha em abril.

Gangue – garotos de Federal Hill – ameaçam o Dr. – e os sacristãos em maio. 181 pessoas deixam a cidade ainda em 1877 – sem menção de nomes.

Histórias de fantasmas começam por 1880 – confirmar relatos de que ninguém entra na igreja desde 1877.
Pedir a Lanigan a fotografia do lugar tirada em 1851...

Após recolocar o papel na carteira e guardar esta última no bolso, Blake virou-se para examinar o esqueleto empoeirado. As implicações desses apontamentos eram claras, e não havia dúvida de que aquele homem havia chegado ao edifício deserto quarenta e dois anos antes em busca de um furo de reportagem que ninguém mais fora destemido o suficiente para investigar. Talvez ninguém mais conhecesse o plano – como saber? Mas o homem jamais voltou à redação. Teria algum medo enfrentado com bravura conseguido vencê-lo e assim provocado um ataque cardíaco? Blake debruçou-se sobre os ossos brilhantes e estudou seu peculiar aspecto. Alguns estavam espalhados, e uns poucos pareciam ter se dissolvido nas extremidades. Outros haviam adquirido um estranho tom amarelado, que de certo modo sugeria algum chamuscamento. Alguns retalhos de tecido também estavam chamuscados. O crânio estava em condições um tanto peculiares – manchado de amarelo e com um orifício chamuscado na calota, como se algum ácido poderoso houvesse corroído a ossatura sólida. O que teria acontecido ao esqueleto durante as quatro décadas passadas no silencioso mausoléu estava além da imaginação de Blake.

Antes que desse por si, ele estava mais uma vez olhando em direção à pedra e deixando que aquela curiosa influência conjurasse um desfile nebuloso em sua imaginação. Viu procissões de silhuetas inumanas cobertas por mantos e capuzes e avistou quilômetros intermináveis de deserto cercado por monólitos lavrados que alcançavam o céu. Viu torres e muralhas nas profundezas noturnas sob o mar e redemoinhos siderais em que rastros de névoa sombria pairavam ante o brilho diáfano da fria neblina grená. E ainda mais adiante vislumbrou um abismo infinito de escuridão, onde vultos sólidos e semissólidos eram percebidos apenas pelas agitações do vento e forças nebulosas pareciam impor ordem ao caos e estender uma chave para todos os paradoxos e arcanos dos universos conhecidos.

Então, de repente o encanto foi quebrado por um surto de medo obstinado, indefinível. Sufocado, Blake afastou-se da pedra, ciente de que uma invisível presença alienígena vigiava-o de perto com terrível atenção. Ele sentiu-se ligado a algo – algo que não estava na pedra, mas que havia olhado através dela em sua direção –, algo que haveria de segui-lo incansavelmente graças a uma percepção além da visão física. Sem dúvida o lugar estava irritando seus nervos, como não poderia deixar de ser em vista de um achado tão macabro. A luz também se extinguia, e, como não tinha uma lanterna ou fósforos consigo, Blake sabia que teria de ir embora logo.

Foi nesse instante de crepúsculo iminente que julgou ter visto uma luminosidade tênue na esquisita pedra angulosa. Tentou olhar para outro lado, mas alguma compulsão obscura atraiu novamente o seu olhar. Será que não havia uma sutil fosforescência radioativa em torno daquela coisa? O que os apontamentos do morto haviam dito sobre um Trapezoedro Reluzente? O quê, afinal de contas, seria aquele covil abandonado de maldade cósmica? O que acontecera naquele lugar, e o que ainda poderia estar à espreita por trás das sombras evitadas pelos pássaros? Um miasma furtivo parecia haver surgido em algum local próximo, ainda que sua origem não fosse evidente. Blake pôs a mão sobre a caixa aberta havia tanto tempo e cerrou-a. A tampa moveu-se com facilidade sobre as dobradiças alienígenas e fechou-se sobre a pedra, que cintilava a olhos vistos.

Com o distinto clique da caixa fechando, um rumor discreto fez-se ouvir na escuridão eterna do coruchéu acima, no outro lado do alçapão. Ratos, sem dúvida – os únicos seres vivos a revelarem sua presença naquele vulto amaldiçoado desde o momento em que entrara. Mesmo assim, o rumor no coruchéu assustou Blake a tal ponto que, às raias do desespero, arrojou-se escadaria abaixo, atravessou a nave espectral, adentrou o porão abobadado, saiu em meio ao acúmulo de pó na praça deserta e desceu as ruelas fervilhantes e assombradas de Federal Hill em direção à normalidade das ruas centrais e das familiares calçadas de tijolo no distrito universitário.

Nos dias a seguir, Blake não contou a ninguém sobre a expedição. Em vez disso, leu uma porção de coisas em certos livros, examinou jornais antigos no arquivo central e laborou com ardor no criptograma daquele volume encadernado em couro descoberto entre as teias da sacristia. O código, ele logo percebeu, não era nada simples; e, após reiterados esforços, Blake convenceu-se de que a língua não era inglês, latim, grego, francês, espanhol, alemão nem italiano. Estava claro que teria de beber nas fontes mais profundas de sua estranha erudição.

Todas as noites o velho impulso de olhar para o Ocidente retornava, e ele via o coruchéu negro como outrora, em meio aos telhados eriçados de um mundo distante, meio fabuloso. Mas agora havia uma outra nota de terror. Blake conhecia a herança maligna que lá se escondia e, de posse desse conhecimento, sua visão exacerbava-se de maneiras um tanto bizarras. Os pássaros da primavera aos poucos retornavam e, enquanto Blake observava seus voos ao pôr do sol, desviavam do coruchéu macabro e solitário com uma intensidade até então jamais vista. Quando uma revoada chegava perto, os pássaros rodopiavam e dispersavam-se em um pânico confuso – e não era difícil imaginar seus chilreios desesperados, incapazes de alcançá-lo a tantos quilômetros.

Foi naquele junho que o diário de Blake registrou sua vitória sobre o criptograma. O texto, segundo pôde averiguar, estava escrito na obscura língua aklo, usada por certos cultos malignos ancestrais e conhecida de Blake graças às suas pesquisas anteriores. O diário guarda uma estranha reticência em relação ao conteúdo da mensagem, mas é evidente que Blake ficou assombrado e desconcertado. Há referências a um Assombro das Trevas que desperta quando alguém olha para o Trapezoedro Reluzente, além de conjecturas insanas acerca dos negros abismos do caos de onde fora invocado. Este ser caracteriza-se por deter todo o conhecimento e exigir sacrifícios monstruosos. Algumas das anotações de Blake demonstram um temor de que a coisa, a seu ver já conjurada, pudesse espreitar livremente; embora afirme que a iluminação pública funciona como uma muralha intransponível.

Em relação ao Trapezoedro Reluzente, as referências são fartas; Blake trata-o como uma janela que se abre ao tempo e ao espaço e descreve sua trajetória desde a época em que foi criado no sombrio planeta Yuggoth, antes mesmo que os Anciãos trouxessem-no à Terra. O artefato foi preservado e posto em sua curiosa caixa pelas coisas crinoides da Antártida, salvo das ruínas pelos homens-serpente de Valúsia e admirado éons mais tarde em Lemúria pelos primeiros humanos. Atravessou terras e mares estranhos e afundou com Atlântida antes que um pescador minoano capturasse-o em sua rede e vendesse-o a mercadores de tez escura vindos da umbrosa Khem. O faraó Nephren-Ka construiu ao redor do Trapezoedro um templo com uma cripta fechada e a seguir fez aquilo que levou seu nome a ser apagado de todos os monumentos e registros. Então o objeto dormiu nas ruínas daquele mausoléu destruído pelos sacerdotes e pelo novo faraó, até que a pá dos escavadores mais uma vez restaurasse-o à luz do dia para amaldiçoar a humanidade.

Por estranho que seja, no início de julho os jornais corroboraram as anotações de Blake, porém de modo tão sumário e casual que só mesmo o diário chamou atenção para essas contribuições. Parece que um novo terror vinha pairando sobre Federal Hill desde que um forasteiro adentrara a temível igreja. Aos sussurros, os italianos comentavam estranhas movimentações e estrondos e arranhões vindos do sombrio coruchéu sem janelas e pediam aos padres que banissem a entidade que assombrava seus sonhos. Alguma coisa, diziam, estava de guarda dia e noite na porta, esperando um momento escuro o suficiente para se aventurar mais longe. Os jornais faziam menção às antigas superstições locais, mas não esclareciam muita coisa a respeito dos motivos para tamanho horror. Evidente que os repórteres de hoje não são antiquários. Ao escrever essas coisas no diário, Blake expressa uma curiosa espécie de remorso e fala sobre o dever de enterrar o Trapezoedro Reluzente e banir a entidade que havia conjurado, deixando que a luz do dia invadisse o proeminente coruchéu nefando. Ao mesmo tempo, no entanto, demonstra a perigosa dimensão de seu fascínio e admite um desejo mórbido – presente até mesmo em sonhos – de visitar a torre amaldiçoada e mais uma vez contemplar os segredos cósmicos da pedra cintilante.

Então, na manhã de 17 de julho, alguma notícia do *Journal* despertou no diarista um grave surto de horror. Não passava de uma variante sobre o tema um tanto quanto jocoso da inquietude em Federal Hill, mas para Blake a notícia era terrível ao extremo. À noite, uma tempestade comprometera o sistema de iluminação da cidade por uma hora inteira, e nesse interlúdio escuro os italianos haviam quase enlouquecido de pavor. Os que moravam próximo à temível igreja juravam que a coisa no coruchéu aproveitara-se da ausência de iluminação pública para descer até a nave da igreja, cambaleando e debatendo-se de maneira viscosa, absolutamente horripilante. Após algum tempo, subiu cambaleante até a torre, onde ouviram-se sons de vidro quebrando. Aquele ser poderia ir até onde as trevas alcançassem, mas a luz sempre o poria em fuga.

Quando a corrente elétrica voltou, houve uma terrível comoção na torre, pois até mesmo a tênue iluminação que filtrava pelas janelas fuliginosas e protegidas por adufas era demais para a coisa.

Ela cambaleou e deslizou até o coruchéu envolto em trevas bem a tempo, pois uma exposição prolongada à luz tê-la-ia mandado de volta ao abismo de onde o forasteiro louco a invocara. Durante aquela hora no escuro, sob a chuva, multidões reuniram suas preces ao redor da igreja com velas acesas protegidas por papéis dobrados e guarda-chuvas – uma vigília de luz para salvar a cidade do pesadelo que espreitava nas trevas. Segundo os que estavam mais próximos à igreja, em um dado momento a porta externa chacoalhou de maneira horripilante.

Mas o pior ainda estava por vir. Aquela noite, no *Bulletin*, Blake leu sobre o que os repórteres haviam encontrado. Enfim cientes do inusitado valor jornalístico daquele desespero, dois deles resolveram desafiar as multidões frenéticas de italianos e esgueirar-se igreja adentro pela janela do porão, após uma tentativa frustrada de entrar pelas portas. Descobriram que a poeira do vestíbulo e da nave espectral havia sido revirada de forma bastante peculiar, com almofadas rotas e o forro dos bancos de cetim atirados por toda parte. Um odor envolvia toda a construção, e aqui e acolá surgiam manchas amarelas e retalhos que pareciam chamuscados. Ao abrir a porta de acesso à torre depois de uma pausa momentânea por conta de um ruído suspeito no andar superior, encontraram o estreito lance de escadas em espiral quase limpo por algo que se arrastara ao passar.

No interior da torre, a cena era bastante similar. Os repórteres mencionavam o pilar de pedra heptagonal, as cadeiras góticas viradas e as bizarras imagens de estuque; mas era estranho que não constasse nada acerca da caixa metálica e do velho esqueleto mutilado. O que mais perturbava Blake – afora as menções de manchas e chamuscados e odores pungentes – era o detalhe final que explicava o estilhaçamento das vidraças. Todas as vidraças dos frestões estavam quebradas, e dois deles haviam sido obscurecidos de maneira primitiva e apressada com o forro dos bancos de cetim e da crina das almofadas, socados no espaço entre as lâminas das adufas externas. Outros fragmentos de cetim e tufos de crina estavam espalhados pelo chão recém-pisado, como se alguém tivesse sido interrompido no ato de restaurar a torre ao estado de escuridão absoluta em que outrora se encontrava.

Manchas amarelas e retalhos chamuscados apareceram na escada que conduzia ao coruchéu sem janelas, mas, quando um dos repórteres subiu, abriu o alçapão horizontal e direcionou o facho da lanterna para dentro daquele espaço negro e fétido, não viu nada além de trevas e de um amontoado heterogêneo de fragmentos disformes próximo à entrada. O veredicto, claro, era charlatanismo. Alguém havia pregado uma peça nos montanheses supersticiosos, ou então algum fanático tentara incitar o medo tendo o bem da população em vista. Ou talvez alguns dos moradores mais jovens e mais sofisticados tivessem armado uma farsa complexa para enganar o mundo lá fora. Houve um desdobramento divertido quando um policial foi enviado para averiguar os relatos. Três policiais em sequência arranjaram pretextos para se furtar à tarefa, e o quarto foi contrariado e voltou em pouco tempo sem nenhuma informação a acrescentar.

Desse ponto em diante, o diário de Blake registra uma maré crescente de horror insidioso e apreensão nervosa. Ele se censura por não tomar uma atitude e faz especulações mirabolantes sobre as consequências de um outro colapso na rede elétrica. Já se verificou que em três ocasiões – sempre durante tempestades – Blake telefonou para a companhia elétrica em uma veia frenética e pediu que se tomassem medidas desesperadas para evitar uma pane no fornecimento de luz. Vez por outra seus apontamentos demonstram preocupação com o fato de os repórteres não terem encontrado a caixa metálica com a pedra nem o esqueleto profanado ao explorar a torre. Blake supôs que esses objetos houvessem sido removidos – mas sequer imaginava para onde, por quem ou pelo quê. Seus maiores medos, no entanto, diziam respeito a si próprio e à ligação profana que julgava existir entre a sua mente e a do horror que espreitava no coruchéu longínquo – aquela coisa monstruosa da noite, invocada por sua imprudência do supremo espaço obscuro. Blake parecia sentir constantes impulsos contrários à sua vontade, e visitantes lembram que, na época, ficava absorto junto à escrivaninha, observando pela janela oeste o longínquo outeiro do coruchéu proeminente além da fumaça citadina. Seus monótonos apontamentos concentram-se em pesadelos e no fortalecimento da ligação profana durante o sono. Há menção a uma noite em que despertou completamente vestido, na rua, enquanto caminhava ao oeste, na direção de College Hill. Muitas e muitas vezes ele reafirma que a coisa no coruchéu sabe onde encontrá-lo.

A semana após o dia 30 de julho é relembrada como a época de seu colapso parcial. Blake sequer se vestia, e solicitava a comida por telefone. Os visitantes perceberam as cordas que mantinha junto à cama, e Blake afirmava que o sonambulismo forçara-o a amarrar os tornozelos à noite com nós que provavelmente o manteriam preso ou então fariam com que acordasse durante o esforço para desatar as amarras. No diário, ele relatava a assombrosa experiência que precipitara o colapso. Após recolher-se na noite do dia 30, Blake de repente viu-se às apalpadelas em um recinto quase tomado pela escuridão.

Tudo o que via eram fachos curtos, tênues e horizontais de luz azulada, mas ao mesmo tempo percebia um miasma pungente e escutava uma mistura de sons abafados e furtivos acima de sua cabeça. Ao menor movimento ele esbarrava em alguma coisa, e a cada ruído ouvia-se um som como que em resposta vindo de cima – uma vaga movimentação, somada ao discreto ruído de madeira roçando contra madeira.

Em dado momento, suas mãos tateantes encontraram um pilar de pedra sem nada no topo, e a seguir ele viu-se agarrado aos degraus de uma escada incrustada na parede; quando então subiu indeciso por aquele caminho, em direção a um fedor ainda mais intenso, uma súbita rajada quente e escaldante veio a seu encontro. Diante de seus olhos surgiu uma gama caleidoscópica de imagens espectrais, todas elas desaparecendo a intervalos na figura de um vasto abismo insondável da noite, onde giravam sóis e planetas de negrura ainda mais profunda. Blake pensou nas lendas ancestrais do Caos Supremo, em cujo centro estende-se Azathoth, o deus cego e idiota, Senhor de Todas as Coisas, rodeado por sua horda convulsa de dançarinos irracionais e amorfos e embalado pelos suaves trenos de uma flauta demoníaca tocada por mãos inomináveis.

Então, uma súbita percepção do mundo exterior atravessou o transe e despertou-o para o horror inefável da situação. O que foi, ele jamais ficou sabendo – talvez alguma explosão tardia dos fogos de artifício que se fazem ouvir por todo o verão em Federal Hill, quando os habitantes saúdam seus vários santos padroeiros, ou os santos de seus vilarejos nativos na Itália. O fato é que ele gritou, caiu da escada em desespero e, cambaleando, atravessou às cegas o chão obstruído da câmara escura onde se encontrava.

Blake reconheceu de imediato o lugar e precipitou-se de qualquer jeito pela estreita escada em espiral, tropeçando e batendo-se a cada curva. Houve uma fuga excruciante através de uma vasta nave tomada por teias de aranha cujas arcadas fantasmáticas erguiam-se aos reinos das sombras zombeteiras, uma agitação às cegas através de um porão cheio de entulho, uma escalada até as regiões de ar fresco e iluminação pública do lado de fora e uma corrida desesperada em que desceu uma pavorosa encosta com empenas desmesuradas, atravessou uma cidade mórbida e silente com torres negras e subiu o íngreme precipício a oeste até chegar à sua antiga morada.

Ao recobrar a consciência pela manhã, notou que estava deitado no chão do gabinete e vestido dos pés à cabeça. Sujeira e teias de aranha cobriam-lhe as vestes, e cada centímetro de seu corpo apresentava inchaços e contusões. Ao encarar o espelho, Blake notou que seu cabelo estava todo chamuscado, e um odor vil parecia exalar de seu casaco. Foi nesse instante que seus nervos sucumbiram. A partir de então, passando os dias exausto em seu roupão, Blake fez pouco mais além de olhar pela janela oeste, estremecer com a ameaça dos trovões e fazer anotações delirantes em seu diário.

A grande tempestade começou pouco antes da meia-noite no dia 8 de agosto. Raios caíam sem parar nos mais diversos pontos da cidade, e houve relatos de duas impressionantes bolas de fogo. A chuva era torrencial, e ao mesmo tempo uma salva de trovões impedia o sono de milhares de habitantes. Blake encontrava-se em um estado de frenesi absoluto devido à sua preocupação com o sistema elétrico, e tentou telefonar para a companhia de energia perto da uma hora da manhã, ainda que nesse horário o fornecimento de luz já estivesse temporariamente suspenso por razões de segurança. Ele registrou tudo no diário – os hieróglifos grandes, nervosos e amiúde indecifráveis contam sua própria história de angústia e desespero crescente e de apontamentos rabiscados às cegas, no escuro.

Blake teve de manter a casa às escuras para conseguir enxergar a rua, e parece que durante a maior parte do tempo permaneceu junto à escrivaninha, espiando ansioso através da chuva e seguindo os quilômetros cintilantes de telhados no centro da cidade até a constelação de luzes distantes que assinalava Federal Hill. De tempo em tempo, fazia anotações canhestras no diário, e assim frases desconexas como "As luzes não podem se apagar"; "Ele sabe onde estou"; "Preciso destruí-lo"; e "Ele está me chamando, mas talvez não queira o meu mal desta vez" encontram-se espalhadas por duas páginas.

Então as luzes de toda a cidade apagaram-se. Foi exatamente às 2h12 da madrugada, de acordo com os registros da companhia elétrica, mas o diário de Blake não faz menção à hora. A entrada diz apenas "As luzes se foram – que Deus me ajude". Em Federal Hill estavam outros observadores tão ansiosos quanto ele, e grupos de homens encharcados desfilavam pela praça e pelas ruelas em torno da igreja com velas protegidas por guarda-chuvas, lanternas elétricas, lampiões a óleo, crucifixos e todo tipo de amuletos obscuros comuns ao sul da Itália. Eles abençoavam cada novo relâmpago e faziam gestos crípticos de temor com a mão direita quando algo na tempestade fez com que os relâmpagos diminuíssem e por fim cessassem. Um vento repentino apagou a maioria das velas, de modo que a cena ficou envolta em trevas ameaçadoras. Alguém chamou o padre Merluzzo, da Spirito Santo Church, que se apressou até a fatídica praça a fim de pronunciar quaisquer sílabas de ajuda que pudesse. Quanto aos incansáveis e curiosos sons no interior da torre negra, não podia haver a menor dúvida.

Em relação ao que ocorreu às 2h35, temos o testemunho do padre, um homem jovem, inteligente e culto; do patrulheiro William J. Monohan da Estação Central, um policial da mais alta confiança que havia parado naquele ponto do trajeto para averiguar a multidão; e da maioria dos setenta e oito homens que se haviam reunido em volta do enorme muro da igreja – em particular daqueles que estavam no quarteirão de onde a fachada leste era visível. Claro, não havia nada que se pudesse atribuir em caráter definitivo ao reino do sobrenatural. As possíveis causas de um acontecimento assim são várias. Ninguém é capaz de falar com autoridade sobre os obscuros processos químicos que operam no interior de uma igreja vasta, antiga, malventilada e deserta que abriga os objetos mais heterogêneos. Vapores mefíticos, combustão espontânea, pressão de gases resultantes de uma longa putrefação... qualquer um desses incontáveis fenômenos pode ter sido o causador. Além do mais, a possibilidade de charlatanismo intencional não pode ser excluída sob hipótese alguma. A coisa em si foi um bocado simples e durou menos de três minutos. O padre Merluzzo, homem devotado à exatidão, olhava constantemente para o relógio.

Começou com o sensível aumento dos sons desordenados no interior da torre negra. Já havia algum tempo que a igreja vinha emanando odores estranhos e vis, mas naquele instante as exalações tornaram-se intensas e repulsivas. Por fim vieram sons de madeira despedaçando-se e de um objeto grande e pesado caindo no pátio contíguo à sobranceira fachada leste. A torre ficou invisível sem o lume das candeias, mas à medida que o objeto se aproximava do chão as pessoas compreenderam que se tratava da fuliginosa adufa do frestão leste.

Imediatamente a seguir um miasma insuportável emanou das alturas ocultas, provocando sufocamentos e náuseas entre os observadores trêmulos e quase prostrando aqueles que estavam na praça. No mesmo instante, o ar tremeu com a vibração de um ruflar de asas, e um repentino vento leste que ultrapassou em força todas as rajadas anteriores levou os chapéus e arrastou os guarda-chuvas gotejantes da multidão. Não se podia ver nada com muita clareza, embora alguns espectadores que estavam olhando para cima imaginem ter visto uma enorme mancha de negrura ainda mais profunda espalhar-se contra o breu do céu – algo como uma nuvem de fumaça amorfa que disparou com a velocidade de um meteoro rumo ao leste.

Isso foi tudo. Os observadores estavam atônitos com o susto, o pavor e o desconforto, e mal sabiam o que fazer, ou mesmo se deviam fazer alguma coisa. Sem saber o que tinha acontecido, mantiveram a vigília; e, passado um instante, uniram-se em uma prece coletiva quando o clarão súbito de um relâmpago tardio, seguido por um estrondo ensurdecedor, rasgou os céus chuvosos. Meia hora depois a chuva parou, e passados mais quinze minutos a iluminação pública voltou a funcionar, mandando os vigilantes, encharcados e exaustos, aliviados para casa. O jornais do dia seguinte, ao noticiar a tempestade, dedicaram pouca atenção a esses incidentes.

Parece que o clarão súbito e a ruidosa explosão que sucederam os acontecimentos em Federal Hill foram ainda mais assombrosos em direção ao leste, onde o surgimento do miasma singular também foi noticiado. O fenômeno atingiu seu ápice em College Hill, onde o estrondo despertou todos os habitantes adormecidos e suscitou especulações mais fabulosas. Dentre os que estavam despertos, poucos avistaram o fulgor anômalo próximo ao cume da montanha ou perceberam a inexplicável rajada de vento que quase desfolhou as árvores da rua e arrancou as plantas dos jardins. Todos concordavam que o raio súbito e solitário deveria ter caído em algum lugar da vizinhança, embora o local exato da queda não tenha sido encontrado. Um jovem membro da fraternidade Tau Ômega pensou ter visto uma grotesca e horrenda nuvem de fumaça no ar assim que o fulgor preliminar iluminou o céu, mas este relato não foi confirmado. Os poucos observadores, no entanto, estavam todos de acordo em relação à violenta rajada do oeste e ao fedor insuportável que precedeu o trovão a seguir, e os testemunhos acerca do momentâneo odor de queimado após o som do trovão são igualmente unânimes.

Esses detalhes foram discutidos a fundo devido à sua provável ligação com a morte de Robert Blake. Estudantes no prédio Psi Delta, cujas janelas superiores nos fundos dão para o gabinete de Blake, perceberam o semblante difuso na janela oeste pela manhã do dia nove e perguntaram-se o que estaria errado com aquela expressão. Quando à noite viram o rosto ainda na mesma posição, ficaram preocupados e esperaram para ver se as luzes do apartamento seriam acesas. Mais tarde tocaram a campainha do apartamento escuro e, por fim, chamaram um policial para arrombar a porta.

O corpo enrijecido estava sentado junto à escrivaninha, em frente à janela, e quando os invasores viram os olhos fixos, vidrados, e as marcas de horripilante e convulsivo pavor naquela fisionomia contorcida, desviaram o olhar em uma consternação nauseante. Logo em seguida o corpo foi encaminhado à autópsia e, apesar da janela intacta, o legista deu como causa da morte choque elétrico, ou tensão nervosa induzida por descarga elétrica. A expressão horrenda no rosto de Blake foi ignorada como sendo um possível resultado do espanto profundo que acomete pessoas de imaginação fértil e emoções descontroladas. Estas qualidades o legista deduziu a partir dos livros, pinturas e manuscritos encontrados no apartamento, e também das entradas rabiscadas às cegas no diário sobre a escrivaninha. Blake havia persistido em seus apontamentos até o último instante, e o lápis de ponta quebrada foi descoberto no rigor espasmódico de sua mão direita.

As anotações feitas após a queda de luz eram altamente desconexas e legíveis apenas em parte. A partir delas alguns investigadores tiraram conclusões bastante incompatíveis com o materialismo do veredicto oficial, mas tais especulações têm pouca chance de persuadir os conservadores. A tese defendida por esses teóricos imaginativos tampouco se beneficiou da ação do supersticioso Dr. Dexter, que atirou a curiosa caixa e a pedra angulosa – um objeto sem dúvida dotado de luz própria, como se viu no sombrio coruchéu desprovido de janelas onde foi encontrado – no canal mais profundo de Narragansett Bay. O excesso de imaginação e o desequilíbrio neurótico por parte de Blake, agravados pelo conhecimento do antigo culto ao mal cujos resquícios havia descoberto, compõem a interpretação mais aceita de seus frenéticos apontamentos finais. Eis aqui suas notas – ou tudo o que se pode apreender delas:

Ainda sem luz – já deve fazer cinco minutos. Tudo depende da iluminação. Yaddith faça com que resista!... Alguma influência parece estar atravessando... A chuva e o trovão e o vento ensurdecem... A coisa está controlando a minha mente...

Problemas de memória. Vejo coisas que jamais conheci. Outros mundos e outras galáxias... O escuro... A luz parece escura e a escuridão parece iluminada...

Não pode ser a montanha e a igreja de verdade o que vejo na escuridão. Deve ser uma impressão retiniana provocada pelos relâmpagos. Deus queira que os italianos estejam nas ruas com velas se os relâmpagos cessarem!

Do que estou com medo? Não seria um avatar de Nyarlathotep, que na umbrosa Khem ancestral assumiu a forma de um homem? Lembro-me de Yuggoth, e do longínquo Shaggai, e do vazio supremo dos planetas negros...

O longo voo alado através do vazio... incapaz de atravessar o universo de luz... recriado pelos pensamentos aprisionados no Trapezoedro Reluzente... mande-o através de horríveis abismos cintilantes...

Meu nome é Blake – Robert Harrison Blake, e moro na East Knapp Street, 620, em Milwaukee, Wisconsin... Estou neste planeta...

Azathoth, tende piedade! O relâmpago já não brilha – que horror –, vejo tudo com a sensação monstruosa de que não está à vista – o claro é escuro e o escuro é claro... as pessoas na montanha... guardam... velas e amuletos... os padres...

Sem percepção da distância – o longe é perto e o perto é longe. Sem luz – sem binóculo – vejo o coruchéu – a torre – janela – ouço – Roderick Usher – louco ou enlouquecendo – a coisa se mexe e se agita na torre.

Eu sou a coisa e a coisa é eu – quero sair... preciso sair e unificar as forças... a coisa sabe onde estou...

Sou Robert Blake, mas vejo a torre no escuro. Um odor monstruoso... sentidos transfigurados... as tábuas do frestão cedendo e quebrando... Iä... ngai... ygg...

Estou vendo – cada mais perto – vento infernal – azul titânico – asa negra – Yog Sothoth, salve-me – o olho abrasador de três lóbulos...

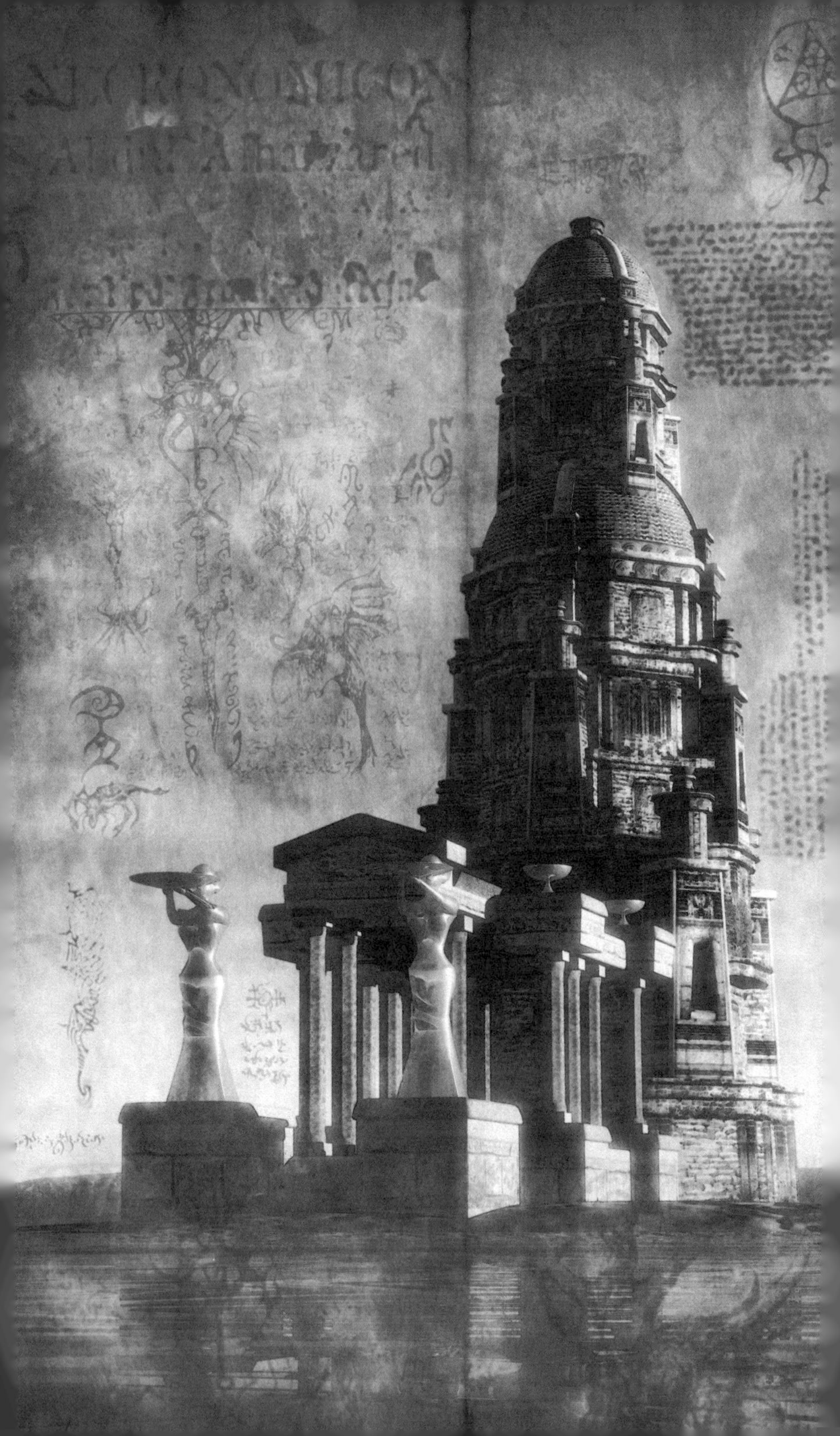

O templo

Manuscrito encontrado na costa de Yucatán.

No dia 20 de agosto de 1917, eu, Karl Heinrich, Graf von Altberg-Ehrenstein, tenente-comandante da Marinha Imperial Alemã, e no comando do submarino *U-29*, lanço esta garrafa contendo este registro no Oceano Atlântico, em uma localização desconhecida por mim, provavelmente próxima a 20 graus de Latitude Norte e 35 graus de Longitude Oeste, onde minha embarcação está avariada no meio do oceano. Ajo dessa forma movido pelo desejo de narrar alguns fatos insólitos, algo que é bem provável que eu não possa fazer pessoalmente, pois as circunstâncias ao meu redor são tão ameaçadoras quanto extraordinárias, e envolvem não apenas a avaria fatal do *U-29*, mas também o enfraquecimento de minha vontade de ferro germânica.

Na tarde de 18 de junho, tal como foi transmitido por telégrafo ao *U-61*, que se dirigia para Kiel, torpedeamos o cargueiro britânico *Victory*, que ia de Nova York para Liverpool, em 45 graus e 16 minutos de Latitude N. e 28 graus e 38 minutos de Longitude a oeste, permitindo que a tripulação saísse em barcos para recolher uma boa filmagem para os arquivos do almirantado. O navio afundou de forma espetacular, primeiro de proa, com a popa erguendo-se bastante acima da água, e depois o casco mergulhou na vertical para o fundo do mar. Nossa câmera pegou tudo e lamento que um rolo de filme tão bom jamais chegue a Berlim. Depois, afundamos os barcos salva-vidas com os canhões e submergimos. Quando subimos à superfície, ao entardecer, achamos o corpo de um marinheiro no tombadilho com as mãos agarradas de maneira estranha ao parapeito.

O pobre coitado era jovem, de pele bem morena e muito bonito, provavelmente italiano ou grego, e, com toda certeza, pertencera à tripulação do *Victory*. Era óbvio que ele havia procurado refúgio na mesma embarcação que fora forçada a destruir a sua, mais uma vítima da injusta guerra de agressão que os porcos ingleses estão travando contra nossa Pátria. Nossos homens o revistaram para pegar lembranças e descobriam, no bolso de seu capote, um curioso pedaço de marfim entalhado, representando uma cabeça de jovem com uma coroa de louros. O outro comandante, tenente Klenze, achou que o objeto era muito antigo e tinha grande valor artístico, por isso o requisitou para si. Como ele havia chegado às mãos de um marinheiro comum ninguém podia imaginar.

Quando o morto foi atirado pela borda, dois incidentes deixaram a tripulação muito perturbada. Os olhos do rapaz estavam fechados, mas, quando ele foi arrastado para a amurada, eles abriram-se e muitos tiveram a estranha ilusão de que os olhos fitavam Schmidt e Zimmer de forma zombeteira, e eles estavam debruçados sobre o cadáver. O contramestre Müller, um homem mais velho que seria mais esperto se não fosse um porco alsaciano supersticioso, impressionou-se de tal forma com aquela sensação, que ficou observando o corpo na água e jurou que, depois de afundar um pouco, ele estirou os membros em posição de nado e dirigiu-se sob as águas para o sul. Klenze e eu não gostamos dessas exibições de ignorância campesina e repreendemos severamente os homens, Müller em especial.

No dia seguinte, criou-se verdadeiro problema com a indisposição de alguns membros da tripulação. Era evidente que estavam tensos por causa da nossa longa viagem e haviam tido pesadelos. Muitos pareciam aturdidos e apavorados e, depois de me certificar de que não estavam apenas fingindo a fraqueza, dispensei-os de suas funções. O mar estava muito agitado, obrigando-nos a descer para uma profundidade em que as ondas davam menos trabalho. Ali ficamos relativamente mais tranquilos, apesar de uma curiosa corrente para o sul que não conseguimos identificar nas cartas oceanográficas. Os gemidos dos doentes eram extremamente incômodos, mas, como não pareciam desmoralizar o resto da tripulação, não foi preciso recorrer a medidas drásticas. Nosso plano era permanecer naquela posição e interceptar o navio a vapor *Dacia*, mencionado em informações de nossos agentes em Nova York.

No começo da noite, fomos à superfície notando que o mar estava menos agitado. A fumaça de um couraçado apareceu no horizonte ao norte, mas nossa distância e capacidade de submergir nos salvaram. O que mais nos preocupava era a falação do contramestre Müller, que foi ficando mais e mais confuso durante a noite. Ele estava em um estado de infantilidade deplorável, balbuciando algo sobre a visão de corpos mortos passando pelas vigias submersas, corpos que olhavam intensamente para ele e que ele havia reconhecido, apesar de inchados, como pertencentes a pessoas que vira morrer em nossas façanhas alemãs vitoriosas. Ele também falava que o jovem que havíamos encontrado e atirado pela borda era o líder. Aquilo tudo era muito repulsivo e anormal, por isso prendemos Müller e mandamos açoitá-lo com rigor. Os homens não gostaram da punição, mas era preciso manter a disciplina. Também negamos o pedido de uma comissão encabeçada pelo marujo Zimmer para que a curiosa cabeça entalhada em marfim fosse atirada ao mar.

No dia 20 de junho, os marujos Bohm e Schmidt, que haviam passado mal no dia anterior, tornaram-se loucamente furiosos. Lamentei não haver um médico em nosso corpo de oficiais, já que as vidas alemãs são preciosas, mas os delírios constantes dos dois a respeito de uma terrível maldição eram muito nocivos à disciplina, o que nos obrigou a tomar medidas drásticas. A tripulação aceitou o ocorrido de má vontade, mas aquilo pareceu acalmar Müller, que, daquele momento em diante, não nos causou mais nenhum problema. Durante noite, nós o soltamos e ele retomou suas obrigações em silêncio.

Na semana seguinte, estávamos todos nervosos à espera do *Dacia*. A tensão piorou com o desaparecimento de Müller e Zimmer, que com certeza se suicidaram devido aos pavores que os assombravam, embora ninguém os tivesse visto saltar ao mar. Fiquei muito satisfeito por me livrar de Müller, pois mesmo seu silêncio incomodava a tripulação. Todos pareciam preferir o silêncio. Era como se estivessem possuídos por um terror secreto. Muitos estavam doentes, mas ninguém havia enlouquecido. O tenente Klenze, pressionado pela tensão, irritava-se com qualquer coisa, como o grupo social de golfinhos que se aglomerava em números crescentes em volta do *U-29* e a intensidade crescente da corrente para o sul que não constava do mapa.

No final, ficou evidente que perdêramos completamente o *Dacia*. Esses acontecimentos não são incomuns e ficamos mais satisfeitos que desapontados, já que a ordem agora era regressar para Wilhelmshaven. Ao meio-dia de 28 de junho, viramos para nordeste e, apesar de alguns embaraços cômicos com a multidão incomum de golfinhos, logo estávamos a caminho.

A explosão na sala das máquinas às duas da madrugada nos pegou de surpresa. Não havíamos notado defeito algum nas máquinas nem descuido dos homens, mas, mesmo assim, sem aviso prévio, a embarcação foi sacudida de ponta a ponta por um abalo colossal. O tenente Klenze correu para a sala das máquinas, descobrindo o tanque de combustível e a maior parte do mecanismo despedaçados, e os engenheiros Raabe e Schneider mortos.

Em um instante nossa situação passou a ser realmente drástica, pois, ainda que os regeneradores químicos do ar estivessem intactos e pudéssemos usar os dispositivos para elevar e submergir o barco e abrir as escotilhas enquanto ainda tínhamos o ar comprimido e a carga das baterias, não estávamos em condições de impelir ou guiar o submarino. Procurar salvação nos barcos salva-vidas nos deixaria nas mãos de inimigos irracionalmente enfurecidos com a grande nação alemã e, desde o incidente do *Victory*, não conseguíramos entrar em contato com nenhum submarino amigo da Marinha Imperial pelo telégrafo.

Desde a hora do acidente até 2 de julho, andamos continuamente à deriva para o sul, quase sem planos e sem encontrar barco algum. Os golfinhos ainda rodeavam o *U-29*, circunstância notável, considerando-se a distância que havíamos percorrido. Na manhã de 2 de julho, avistamos um couraçado com as cores americanas e os homens ficaram muito agitados, querendo render-se. O tenente Klenze acabou tendo de disparar contra um marinheiro de nome Traube, que incitava tal ato antigermânico. Aquilo acalmou a tripulação por algum tempo e submergimos para fora de vista.

Na tarde seguinte, um bando de aves marinhas surgiu vindo do sul e o oceano começou a ficar ameaçador. Fechando as escotilhas, aguardamos os acontecimentos até perceber que, se não submergíssemos, seríamos inundados pelas ondas que se avolumavam. A pressão do ar e a eletricidade estavam diminuindo e queríamos evitar todo uso desnecessário de nossos poucos recursos mecânicos, mas, naquele caso, não havia escolha. Não descemos até muito fundo e, depois de algumas horas, quando o mar ficou mais calmo, decidimos retornar à superfície.

Naquele momento, porém, surgiu um novo contratempo: o barco não respondia a nossos comandos, apesar de usarmos todos os recursos mecânicos. À medida que os homens iam ficando mais apavorados com aquela prisão submarina, alguns deles começaram a resmungar novamente contra a estatueta de marfim do tenente Klenze, mas a visão de uma pistola automática os acalmou. Mantivemos os pobres diabos ocupados ao máximo com as máquinas mesmo sabendo que era algo inútil.

Klenze e eu geralmente dormíamos em horários diferentes e foi durante meu período de sono, em torno das cinco da madrugada do dia 4 de julho, que o motim tomou força. Os seis malditos marinheiros restantes, suspeitando de que estávamos perdidos, e enfurecidos por não termos nos rendido ao couraçado ianque dois dias antes, em um delírio de impropérios e destruição, rugiam como animais, quebrando instrumentos e móveis de forma aleatória e gritando bobagens sobre a maldição do ícone de marfim e o jovem morto que olhara para eles e saíra nadando. O tenente Klenze ficou paralisado e incapaz de agir, como era de se esperar de um frouxo e efeminado como ele.

Atirei nos seis, pois era preciso, e certifiquei-me de que nenhum ficasse vivo.

Jogamos os corpos pelas comportas duplas e ficamos sozinhos no *U-29*. Klenze parecia muito nervoso e bebia demais. Decidimos ficar vivos o máximo possível usando o grande estoque de provisões e o suprimento de oxigênio que não haviam sofrido com as loucuras daqueles malditos marinheiros. Bússolas, sondas e outros instrumentos delicados estavam todos arruinados, o calendário e nossa deriva visível avaliada por qualquer objeto que pudéssemos avistar pelas vigias ou do alto da torre. Nosso único recurso para o cálculo da posição do barco seriam as conjecturas com base em observações.

Felizmente tínhamos baterias em estoque para muito tempo, tanto para a iluminação interna quando para o holofote. O tempo todo corríamos o facho de luz ao redor do barco, mas só conseguíamos enxergar os golfinhos nadando em paralelo ao curso de nossa deriva. Fiquei cientificamente interessado naqueles golfinhos, pois, embora o *Delphinus delphis* comum seja um mamífero cetáceo incapaz de sobreviver sem ar, observei atentamente um deles por duas horas e não o vi alterar sua condição de submersão.

Com o passar do tempo, Klenze e eu concordamos em que a deriva ainda era na direção do sul enquanto mergulhávamos cada vez mais fundo. Observávamos a fauna e a flora marinhas e líamos muito sobre o tema nos livros que havia trazido para os momentos de folga. Contudo, não pude deixar de observar quanto o conhecimento científico de meu companheiro era inferior ao meu. Sua cabeça não era nem um pouco prussiana, entregando-se a fantasias e especulações sem o menor valor. A proximidade da morte afetava-o de maneira estranha e ele rezava muito, cheio de remorso pelos homens, mulheres e crianças que havíamos afundado, esquecendo-se de que todas as coisas feitas a serviço do Estado alemão são nobres.

Ele foi ficando visivelmente desequilibrado, observando, durante horas, o ícone de marfim e tecendo histórias fantasiosas sobre coisas esquecidas e abandonadas no fundo do mar. Às vezes, à luz de experimento psicológico, eu provocava seus devaneios e ficava ouvindo as intermináveis citações e histórias poéticas sobre navios afundados. Senti muito por ele, pois não gosto de ver um alemão sofrer, mas ele não era uma boa companhia para se morrer. Quanto a mim, sentia-me orgulhoso, sabendo que a Pátria reverenciaria minha memória e ensinaria meus filhos a serem homens como eu.

No dia 9 de agosto, avistamos o leito do oceano e lançamos sobre ele o facho potente do holofote. Era uma planície ondulada quase toda coberta por algas, com as conchas de pequenos moluscos espalhadas por toda parte. Viam-se aqui e ali objetos de formato estranho, cobertos de limo e de algas e encrustados de cracas, que, na constatação de Klenze, deviam ser antigos navios repousando em seus túmulos. Ele pareceu intrigado com uma coisa: um pico de matéria sólida projetando-se do leito do oceano até quase doze metros de altura, com uns sessenta centímetros de espessura, faces planas e as superfícies superiores lisas encontrando-se em um ângulo muito aberto. Imaginei que se tratava de um afloramento de rocha, mas Klenze achava ter visto entalhes no objeto. Um pouco depois, ele começou a tremer e desviou o olhar da cena, parecendo apavorado, mas não conseguiu dar explicação alguma, exceto a de estar exausto diante da enormidade, da escuridão, da ancestralidade e do mistério dos abismos oceânicos.

Ele estava mentalmente extenuado, mas eu, sempre um alemão, fui rápido em perceber duas coisas: que o *U-29* estava suportando perfeitamente a pressão da profundidade oceânica e que os estranhos golfinhos ainda nos acompanhavam, mesmo naquela profundidade, onde a existência de organismos altamente organizados é considerada impossível pela maioria dos naturalistas. Eu tinha certeza de que havia superestimado nossa profundidade antes, mas ainda assim devíamos estar a uma profundidade suficiente para tornar aqueles fenômenos admiráveis. A velocidade para o sul, medida pelo leito do oceano, estava próxima da que eu havia calculado pelos organismos observados nos níveis superiores. Foi às 3h15 da tarde de 12 de agosto que o pobre Klenze enlouqueceu de vez. Ele estava na torre de observação usando o holofote quando o vi dirigir-se para o compartimento da biblioteca onde eu estava lendo, e seu rosto imediatamente o traiu. Repetirei aqui o que ele disse, destacando as palavras que enfatizou:

— *Ele* está chamando! *Ele* está chamando! Posso ouvi-lo! Devemos ir!

Enquanto falava, pegou o ícone de marfim da mesa, colocou-o no bolso e segurou meu braço, tentando arrastar-me pela escada para o tombadilho. Em um instante, percebi que ele pretendia abrir a escotilha e mergulhar comigo na água, um delírio maníaco suicida e homicida para o qual eu não estava preparado. Quando me esquivei e tentei acalmá-lo, ele ficou ainda mais violento, dizendo:

— Venha agora, depois será tarde demais; é melhor se arrepender e ser perdoado do que desafiar e ser condenado.

Tentei então fazer o oposto da tentativa de acalmá-lo, dizendo que ele estava louco, lastimavelmente insano. Mas ele não se abalou, gritando:

— Se estou louco, é uma misericórdia! Que os deuses tenham piedade do homem que, por sua indiferença, consegue ficar são diante do fim hediondo! Venha e seja louco enquanto ele ainda chama com clemência!

O desabafo pareceu aliviar uma pressão em sua cabeça, pois, quando terminou, ficou mais calmo, pedindo-me para deixá-lo partir sozinho já que eu não queria acompanhá-lo. Percebi claramente a postura que deveria assumir. Ele era mesmo alemão, mas de um tipo simplório, e agora havia se transformado em um louco potencialmente perigoso. Concordando com seu pedido suicida, eu me livraria de alguém que não era mais um companheiro, e sim uma ameaça. Pedi que me entregasse a imagem de marfim antes de partir, mas isso lhe provocou uma risada tão sinistra que não me atrevi a insistir.

Depois, perguntei se ele não queria deixar alguma lembrança ou uma mecha de cabelo para a sua família na Alemanha, caso eu conseguisse me salvar, mas ele repetiu a risada misteriosa. Assim, enquanto ele subia a escada, eu fui para os comandos e, esperando os intervalos de tempo necessários, operei o mecanismo que o enviou para a morte. Quando percebi que ele já não estava no barco, lancei o facho do holofote pela água tentando avistá-lo, querendo verificar se a pressão da água o teria esmagado, como teoricamente devia acontecer, ou se o cadáver não teria sido afetado, como acontecia com os extraordinários golfinhos. Mas não consegui avistar meu antigo companheiro, pois os golfinhos, formando um grupo compacto em volta da torre, obscureceram a visão.

Naquela noite, lamentei não ter tirado a imagem de marfim do bolso do pobre Klenze sem ele perceber quando partiu, pois a lembrança dela me fascinava. Não conseguia esquecer a cabeça jovem e bela com sua coroa de folhas, embora eu não seja, por natureza, um artista. Lamentava, também, não ter ninguém com quem conversar. Klenze, ainda que espiritualmente inferior, era melhor do que nada. Dormi bem naquela noite, e me perguntava quando o fim chegaria. Sabia que a chance de ser resgatado era muito pequena.

No dia seguinte, subi à torre e retomei minha observação de costume com o holofote. Para o norte, a vista era exatamente igual à de quatro dias antes, quando avistáramos o fundo, mas percebi que a deriva do *U-29* era menos veloz. Quando desviei o facho para o sul, observei que o leito do oceano à frente descia em um declive acentuado, exibindo blocos de pedra curiosamente irregulares organizados conforme padrões definidos em certos locais. O barco não desceu de imediato, acompanhando a profundidade maior do oceano, obrigando-me a regular o holofote, apontando o facho para baixo. Na virada brusca, um fio soltou-se, exigindo mais tempo para os reparos, mas a luz tornou a brilhar, inundando o vale marinho abaixo.

Não sou de extravasar emoções, mas fiquei muito espantado quando enxerguei o que a luz elétrica revelava. Entretanto, criado na melhor cultura da Prússia, eu não devia ter ficado espantado, pois a geologia e a tradição nos falam de grandes transposições em áreas oceânicas e continentais. O que vi foi um extenso e elaborado alinhamento de construções em ruínas, todas com uma arquitetura imponente, ainda que inclassificável, e em vários estágios de conservação. A maioria parecia ser de mármore, reluzindo vivamente sob a luz do holofote, e o plano geral resultava em uma grande cidade no fundo de um vale estreito com numerosos templos e vilas isolados nas encostas íngremes acima. Os telhados haviam caído e as colunas estavam partidas, mas persistia em tudo a atmosfera de um esplendor imemorialmente antigo que nada poderia apagar.

Confrontado, enfim, com a Atlântida que eu até então considerara um mito, tornei-me o mais ávido dos exploradores. No fundo daquele vale, houve um rio algum dia, pois, examinando melhor a cena, avistei restos de pontes e diques de pedra e mármore, além de terraços e aterros antes verdejantes e belos. O entusiasmo me deixou quase tão atônito e sentimental quanto o pobre Klenze, e demorei para notar que a correnteza para o sul havia enfim terminado, permitindo que o *U-29* pousasse mansamente sobre a cidade submersa como um avião pousa sobre uma cidade na superfície da Terra. Também demorei para perceber que o bando de golfinhos insólitos havia desaparecido.

Duas horas mais tarde, o barco repousava em uma praça pavimentada perto do muro rochoso do vale. De um lado, dava para ver a cidade inteira descendo da praça para a antiga margem do rio; do outro, com uma proximidade chocante, estava a fachada ricamente ornamentada e bem preservada de um grande edifício, evidentemente um templo, escavado na rocha maciça. Tudo o que posso fazer sobre a arte construtiva original daquela coisa titânica são conjecturas. A fachada, de imensa dimensão, cobria aparentemente um vazio contínuo, pois tinha muitas janelas amplamente distribuídas. No centro, havia uma grande passagem aberta que podia ser alcançada por um impressionante lance de degraus, e era rodeada por esculturas curiosas parecendo figuras de bacanais em relevo.

Na frente de tudo ficavam as grandes colunas e frisas decoradas com esculturas de uma beleza inexprimível retratando, obviamente, cenas pastorais idealizadas e procissões de sacerdotes e sacerdotisas carregando estranhos objetos cerimoniais para a adoração de um deus radiante. A qualidade artística do conjunto é fenomenal, em grande medida helênica, mas curiosamente diferenciada. Dá uma impressão de espantosa antiguidade, como se fosse mais antiga que as ancestrais imediatas da arte grega. Não posso duvidar, também, de que cada detalhe daquela obra maciça tenha sido talhado na pedra virgem de nosso planeta.

É evidente que se trata da muralha do vale, embora não consiga imaginar até que profundidade o interior terá sido escavado. Talvez se tenha aproveitado de uma caverna ou de um conjunto de cavernas. Nem o tempo nem a submersão conseguiram destruir a grandeza primitiva daquele magnífico santuário, pois santuário é a palavra que o define, e ainda hoje, milhares de anos depois, permanece imaculado e puro na escuridão silenciosa e eterna de um abismo oceânico.

Não consigo mensurar o número de horas que passei observando a cidade submersa com seus edifícios, arcos, estátuas e pontes, e o templo colossal com sua beleza e seu mistério. Mesmo sabendo que a morte estava próxima, a curiosidade me dominava, e eu corria o facho do holofote pelas cercanias do barco em uma busca frenética. A luz fez com que eu compreendesse muitos detalhes, mas não conseguiu mostrar nada além daquela passagem escancarada do templo cavado na rocha, e, depois de algum tempo, para economizar energia, desliguei a corrente. Os raios de luz estavam agora perceptivelmente mais fracos do que nas semanas de deriva e meu desejo de explorar os segredos aquáticos, instigado pela iminente privação da luz, crescia. Eu, um alemão, seria o primeiro a percorrer aqueles caminhos esquecidos pelo tempo!

Idealizei um escafandro de metal para águas profundas e fiz testes com a lanterna portátil e o regenerador de ar. Embora a manobra da dupla escotilha fosse causar-me certa dificuldade, acreditei que poderia superar todos os obstáculos com minha habilidade científica e caminhar pessoalmente pela cidade morta.

No dia 16 de agosto, saí do *U-29* e avancei com dificuldade pelas ruas arruinadas e cobertas de lama na direção do antigo rio.

Não encontrei esqueletos nem outros restos humanos, mas recolhi uma fortuna em conhecimento arqueológico das esculturas e moedas. Sobre isto, tudo que posso fazer é expressar minha admiração por uma cultura que estava em pleno apogeu de sua glória quando moradores de cavernas perambulavam pela Europa e o Nilo fluía despercebido para o mar. Guiados por este manuscrito, se algum dia ele for encontrado, outros poderão desvendar os mistérios que eu só posso sugerir. Voltei ao barco quando minhas baterias enfraqueceram, decidido a explorar o templo escavado na rocha no dia seguinte.

No dia 17, quando minha vontade de desvendar o mistério do templo ficou ainda mais insistente, tive a desilusão de descobrir que os materiais necessários para recarregar a lanterna portátil haviam sido destruídos no motim daqueles porcos, em julho. Fiquei cheio de raiva, mas minha natureza germânica impediu que eu me aventurasse despreparado pelas entranhas completamente escuras que poderiam abrigar algum monstro marinho indescritível ou um labirinto de passagens de cujos recessos jamais poderia sair. Tudo que me restava fazer era acender o fraco holofote do *U-29* e, com sua ajuda, subir os degraus do templo e analisar as esculturas externas.

O facho de luz penetrava pela porta de baixo para cima e eu tentei vislumbrar alguma coisa em seu interior, mas nada consegui. Nem mesmo o teto era visível. Embora arriscasse um passo ou dois em seu interior depois de testar a solidez do piso com um bastão, não ousei ir mais longe. Além do mais, pela primeira vez em minha vida, sentia-me apavorado. Comecei a entender como haviam surgido certas atitudes do pobre Klenze, pois, quanto mais o templo me atraía, mais eu temia seus abismos aquáticos com um terror cego e crescente. Voltando ao submarino, apaguei as luzes e sentei-me, pensativo, no escuro. A eletricidade precisava ser poupada para emergências.

Passei todo o dia 18, um sábado, na mais negra escuridão, atormentado por pensamentos e lembranças que ameaçavam vencer minha vontade germânica. Klenze havia enlouquecido e morrido antes de alcançar aquela sinistra ruína de um passado terrivelmente remoto e me aconselhara a ir com ele. Não teria o destino poupado minha razão só para me arrastar inelutavelmente para um fim tão pavoroso, que homem nenhum jamais sonhara? Meus nervos estavam dolorosamente tensos e eu precisava livrar-me daquela sensação típica de homens fracos.

Não consegui dormir durante a noite de sábado e acendi as luzes sem me importar com o futuro. Era irritante saber que a eletricidade não duraria tanto quanto o ar e as provisões. Voltei a pensar em eutanásia e examinei a pistola automática. Devo ter caído no sono com as luzes acesas, pois despertei no escuro, já na tarde do dia seguinte, e descobri que as baterias estavam descarregadas. Acendi vários fósforos em seguida e lamentei profundamente a imprevidência com que havíamos gastado as poucas velas que possuíamos. Depois de se extinguir o último fósforo que ousei gastar, fiquei sentado, em silêncio, na mais absoluta escuridão. Enquanto pensava no fim inevitável, minha mente percorreu os acontecimentos anteriores e passei a sentir uma sensação até então adormecida que teria feito estremecer alguém mais fraco e mais supersticioso. A cabeça do deus radiante nas esculturas sobre o templo de pedra é a mesma daquele pedaço de marfim entalhado que o marinheiro morto trouxera do mar e que o pobre Klenze levara de volta às águas.

Tal coincidência deixou-me um tanto aflito, mas não aterrorizado. Só um pensador ordinário se apressa em explicar o singular e o complexo pelo atalho primitivo do sobrenatural. A coincidência era curiosa, mas eu era um pensador sólido o bastante para não associar circunstâncias que não admitem nenhuma conexão lógica ou relacionar, por algum mecanismo extraordinário, os acontecimentos desastrosos que se sucederam do caso do *Victory* às minhas aflições presentes. Sentindo que precisava descansar mais, tomei um sedativo. A situação de meus nervos refletiu-se nos meus sonhos, pois tive a sensação de ouvir gritos de pessoas se afogando e ver faces mortas espremendo-se contra a embarcação. E, entre as faces mortas, estava o rosto lívido e zombeteiro do jovem com a imagem de marfim.

Preciso ser cuidadoso em minhas anotações sobre o despertar de hoje, pois estou exausto e necessariamente haverá muitas alucinações misturadas com os fatos. Do ponto de vista psicológico, meu caso é dos mais interessantes, e lamento que não possa ser analisado com rigor científico por alguma autoridade alemã competente. Ao abrir os olhos, minha primeira sensação foi um desejo incontrolável de visitar o templo escavado na rocha, um desejo que crescia a cada instante, mas ao qual eu tentava instintivamente resistir, movido por uma sensação de medo que agia no sentido contrário. Depois, veio-me a impressão de luz em meio à escuridão das baterias descarregadas e parecia ter visto uma espécie de brilho fosforescente na água em torno da vigia que estava de frente para o templo.

Aquilo despertou minha curiosidade, pois eu não conhecia nenhum organismo marinho capaz de emitir tal luminosidade. Porém, antes que eu pudesse investigar, tive uma terceira impressão, que, por sua irracionalidade, me fez duvidar da objetividade de tudo que meus sentidos pudessem registrar. Foi uma ilusão de aura, a sensação de um som melódico, ritmado, que parecia surgir de um hino coral ou entoado, agreste, mas belo, atravessando o casco absolutamente à prova de som do *U-29*. Convencido da anomalia de minhas condições psicológicas e nervosas, acendi alguns fósforos e servi uma dose concentrada de solução de brometo de sódio, que pareceu acalmar-me o suficiente para desfazer a ilusão sonora. Mas a fosforescência persistia, e tive dificuldade de represar o impulso infantil de ir até a vigia e procurar sua origem. Ela era terrivelmente real, e não demorou para eu poder distinguir, com a sua ajuda, os objetos familiares que me cercavam, inclusive o copo de brometo de sódio vazio do qual eu não tivera nenhuma impressão visual no local em que ele agora estava.

A última circunstância fez com que eu meditasse e atravessei o cômodo até o copo e o toquei. Ele estava realmente onde eu o havia visto. Agora eu sabia que a luz, se não era real, fazia parte de alguma alucinação tão fixa e consistente que eu não poderia descartá-la; por isso, deixando de lado toda resistência, subi na torre de observação para verificar a origem da luz. Não seria, talvez, algum outro submarino da série U trazendo uma esperança de resgate?

É compreensível que o leitor não aceite nada do que se segue como verdade absoluta, pois, como os acontecimentos transcendem à lei natural, eles são, necessariamente, criações fictícias e subjetivas de minha mente. Quando cheguei à torre, descobri que o mar em geral estava bem menos iluminado do que eu esperava. Não havia nenhum animal ou planta fosforescente por ali, e a cidade que acompanhava o declive da encosta até o rio era invisível na escuridão. O que vi não foi espetacular, nem grotesco, nem pavoroso, mas eliminou o último vestígio de confiança que eu tinha na própria consciência. Pois a porta e as janelas do templo submerso escavado na colina rochosa brilhavam vivamente com um resplendor cintilante, como se a poderosa chama de um altar ardesse, à distância, em seu interior.

Os incidentes posteriores são caóticos. Olhando para a porta e as janelas iluminadas, fiquei exposto a visões demasiado extravagantes, visões tão extraordinárias que não consigo sequer relacioná-las. Imaginei discernir objetos no templo, alguns parados, outros em movimento, e tive a impressão de ouvir de novo o canto irreal que fluíra até mim quando havia despertado. E, por cima de tudo, surgiram pensamentos e pavores centrados no jovem que viera do mar e no ícone de marfim cuja imagem estava reproduzida na frisa e nas colunas do templo à minha frente. Pensei no pobre Klenze e fiquei imaginando onde estaria seu corpo com a imagem que ele havia levado de volta para o mar. Ele me advertira sobre algo e eu não lhe dera atenção, mas ele era um imbecil que enlouquecera em face de problemas que um prussiano poderia facilmente suportar.

O restante é muito simples. Meu primeiro impulso de entrar no templo havia se transformado em uma ordem imperiosa e inexplicável. Minha vontade germânica já não conseguia controlar meus atos, e o arbítrio só foi possível em questões menores daquele momento em diante. Uma loucura como aquela conduzira Klenze à morte, com a cabeça descoberta e desprotegida, no oceano, mas eu sou prussiano e homem de juízo e usarei até o fim o pouco que dele me resta. Quando percebi, pela primeira vez, que devia ir, preparei o traje de mergulho, o capacete e o regenerador de ar e imediatamente comecei a escrever este apressado relato na esperança de que ele possa algum dia chegar ao mundo. Colocarei o manuscrito em uma garrafa e a confiarei ao mar quando deixar o *U-29* para sempre.

Não tenho medo de nada, nem mesmo das profecias do enlouquecido Klenze. O que vi não pode ser verdade, e sei que este transtorno da minha própria vontade só pode me levar à morte por asfixia quando o ar se esgotar. A luz no templo é pura ilusão e eu morrerei calmamente, como um alemão, nas profundezas escuras e perdidas. Esse riso demoníaco que ouço enquanto escrevo vem apenas de meu próprio cérebro debilitado. Agora vestirei com cuidado o traje de mergulho e subirei corajosamente os degraus para entrar no templo primitivo, no enigma silencioso de insondáveis águas e incontáveis anos.

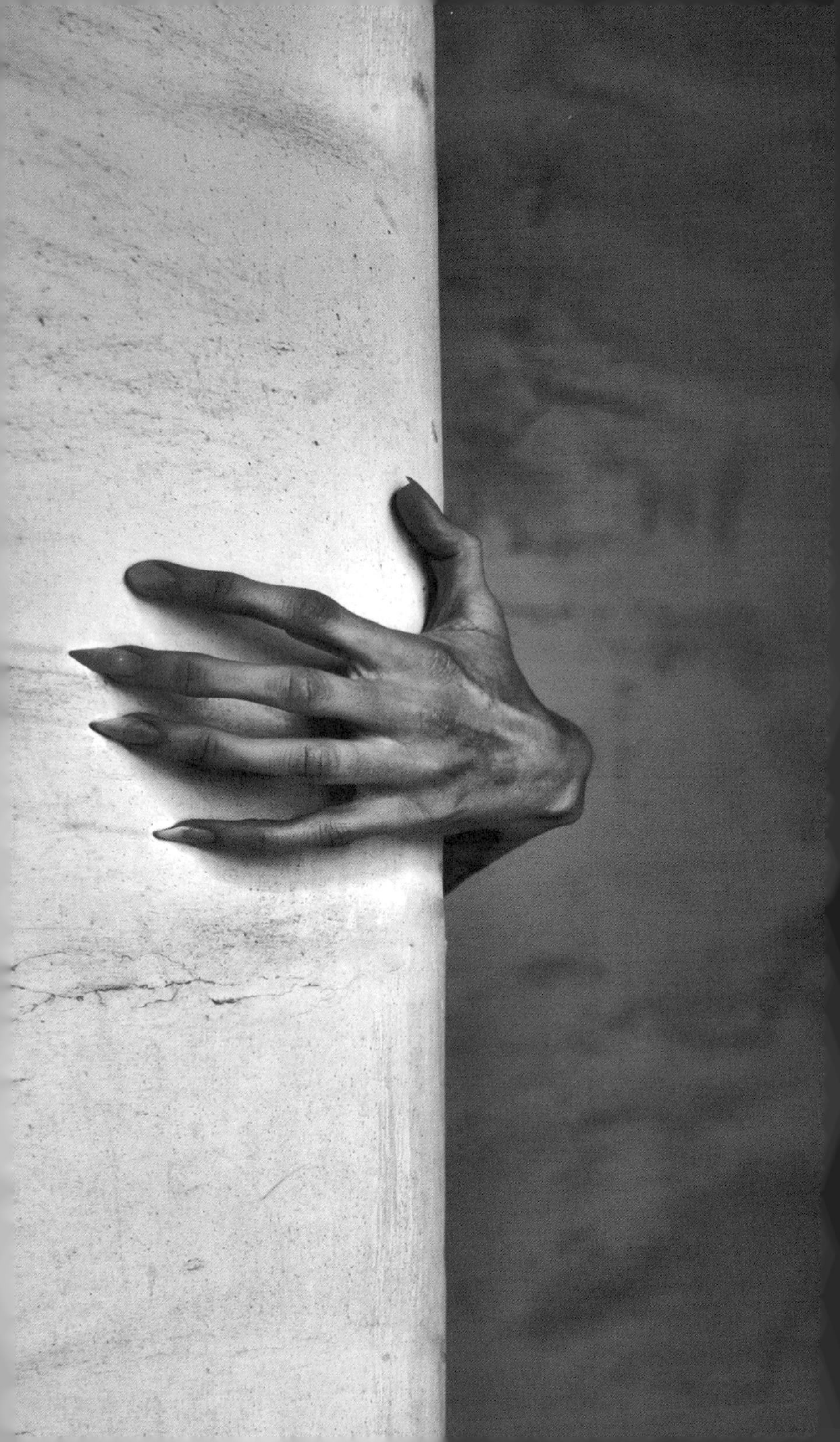

O modelo de Pickman

Você não precisa achar que sou louco, Eliot. Muitas pessoas têm superstições mais extravagantes do que essa. Por que você não zomba do avô do Oliver, por exemplo, que nunca entrou em um carro? Se eu não suporto aquele maldito metrô, é problema meu; e, de qualquer maneira, chegamos muito mais depressa de táxi. Se tivéssemos vindo de metrô, teríamos que subir a ladeira da Park Street a pé.

Confesso que estou mais nervoso do que quando você me viu no ano passado, mas não acho que isso seja motivo suficiente para que me recomende uma clínica. Deus sabe bem que tenho muitos motivos para isso, e acho que tenho muita sorte de ter mantido a lucidez até agora. Por que o interrogatório? Você não era tão inquisitivo.

Bem, se você quer saber, não vejo razão para não contar. Talvez você tenha mesmo o direito de saber, já que foi o único a escrever para mim, como se fosse um pai aflito, quando soube que eu não frequentava mais o Clube de Arte e que me afastei de Pickman. Agora que ele desapareceu, vou ao clube de vez em quando, mas meus nervos já não são o que eram antes.

Não, não sei o que aconteceu com Pickman e também não gosto de me render a conjecturas. Você deve ter imaginado que eu sabia de algo importante quando me distanciei dele – e é por isso que me recuso a pensar sobre aonde ele foi. Deixe a polícia investigar o que puder. Não acho que vão descobrir muita coisa, visto que até agora ainda não sabem nada sobre a casa que, sob o nome de Peters, ele alugou em North End. Também não tenho certeza de que eu mesmo poderia encontrá-la de novo – e nem *penso* em tentar encontrá-la, mesmo em plena luz do dia. Sim, acho que sei, ou *imagino saber* por que ele a alugou. Sobre isso eu posso falar. Assim você vai entender, muito antes de eu terminar, por que não vou à polícia. Eles me forçariam a levá-los até lá, mas a verdade é que eu não poderia voltar àquela casa mesmo que soubesse o caminho. Havia algo lá. Bem, é por isso que não consigo mais andar de metrô (e você pode rir disso também) nem entrar em porões.

Achei que você saberia que o meu distanciamento de Pickman não se devia às mesmas razões estúpidas que produziram a mesma reação em mulheres como a Dra. Reid, ou Joe Minot, ou Rosworth. A arte que lida com o mórbido não me choca, e, quando alguém tem o gênio que Pickman tinha, sinto que é uma honra conhecê-lo, não importa que direção tome seu trabalho. Boston nunca teve um pintor tão notável quanto Richard Upton Pickman. Eu disse isso desde o começo e continuo afirmando; e também não desviei nenhum centímetro quando ele apresentou aquela tela *Ghoul se alimentando*. Você deve lembrar, foi depois desse trabalho que Minot parou de cumprimentá-lo.

Você sabe, para produzir trabalhos como os de Pickman é necessário um profundo domínio da arte e uma percepção não menos profunda das entranhas da natureza. Qualquer ilustrador de capa de revistas é capaz de espalhar a tinta de um jeito qualquer no papel e dar àquilo o nome de pesadelo, de sabá das bruxas ou de retrato do diabo. Mas somente um grande artista pode alcançar um resultado que realmente nos impressione como plausível e nos aterrorize. Isso porque somente um verdadeiro artista reconhece a verdadeira anatomia do terror e a fisiologia do medo: o tipo exato de linhas e proporções que se conectam aos instintos latentes ou memórias hereditárias do medo, e os contrastes precisos de cor e efeitos da luz que estimulam no observador o sentido latente de estranheza. Não preciso explicar a você por que um Fuseli provoca calafrios, enquanto a capa de uma revista de terror só nos faz rir. Existe algo que esses seres excepcionais capturam, algo que está além da vida, e que eles são capazes de transmitir para nós, mesmo que por apenas alguns segundos. É o que distingue Gustave Doré. Ou Sime. Angarola, de

Chicago, também. E Pickman o fazia como ninguém antes dele tinha feito e – como espero em Deus – ninguém mais fará.

Não me pergunte o que esses homens veem. Você sabe, na prática artística percebe-se uma grande diferença entre as obras vivas, que captam esses seres extraídos da natureza ou de modelos e os produtos artificiais que são fabricados em um ateliê precário. Em suma, devo dizer que o artista que é verdadeiramente fantástico é dotado de um tipo de visão que o capacita a perceber os motivos genuínos do mundo espectral em que vive. De qualquer forma, este artista consegue produzir resultados que diferem dos sonhos alucinados de um impostor, quase da mesma maneira que as obras de um pintor da natureza se distanciam dos pastiches de alguém que aprendeu a desenhar por correspondência. Se eu tivesse visto o que Pickman via! Mas não. Escute, vamos tomar uma bebida antes de nos envolvermos nesse assunto. Por Deus! Eu não estaria vivo hoje se tivesse visto o que aquele homem – se é que era homem – via.

Você se lembra, o forte de Pickman eram os rostos. Acho que ninguém desde Goya foi capaz de representar o inferno em um rosto ou em um conjunto de características ou expressões distorcidas; e, antes de Goya, seria necessário procurar nos artistas medievais anônimos que criaram as gárgulas ou as quimeras de Notre-Dame ou Mont Saint-Michel. Eles acreditavam em todo tipo de coisas – e talvez também tenham *visto* todo tipo de coisas, especialmente se você lembrar que a Idade Média teve algumas fases muito curiosas. Lembro perfeitamente que em uma ocasião, um ano antes de partir, você perguntou a Pickman de onde diabos ele tirava aquelas ideias e visões. Não foi desagradável a gargalhada que ele deu em resposta? Em parte, foi por causa daquela risada que Reid se afastou dele. Reid tinha acabado de se formar em Patologia Comparada e era repleto de ideias pomposas sobre o significado biológico ou evolutivo deste e daquele sintoma mental ou físico. Ele dizia que Pickman lhe causava cada vez mais repulsa e que nos últimos tempos o deixava à beira do terror. Dizia que a expressão de Pickman e até mesmo suas características estavam se transformando de uma forma de que ele não gostava, de uma forma que não era humana. Falou muito sobre alimentação e disse que Pickman devia ser anormal e excêntrico ao extremo. Se você se correspondeu com Reid, suponho que tenha dito a ele que as pinturas de Pickman abalavam seus nervos ou atormentavam sua imaginação. Foi o que eu mesmo disse a ele na época.

Você pode ter certeza de que não me distanciei de Pickman por nenhuma dessas coisas. Pelo contrário, minha admiração por ele continuou crescendo, já que não havia dúvida de que aquela tela do *Ghoul se alimentando* era uma obra-prima. Como você sabe, o Clube se recusou a exibi-la e o Museu de Belas-Artes não a aceitou sequer como presente; e posso acrescentar que ninguém quis comprá-la também, então a pintura ficou na casa de Pickman até o dia em que ele desapareceu. Agora está nas mãos do pai dele, na casa da família em Salém. Você sabe, Pickman vem de uma família antiga de Salém e um de seus antepassados foi enforcado por bruxaria em 1692.

Eu me habituei a visitar Pickman com certa frequência, especialmente depois que comecei a procurar material para uma monografia sobre arte fantástica. Foi provavelmente o trabalho dele que plantou essa ideia na minha cabeça. De qualquer forma, devo confessar que o trabalho de Pickman foi uma verdadeira mina, rica de sugestões e informações para esse projeto. Ele me deu acesso a todas as suas obras, a todas as pinturas e desenhos que tinha com ele, incluindo alguns esboços à tinta que teriam lhe acarretado uma expulsão imediata do Clube se muitos dos sócios os tivessem visto. Em pouco tempo, eu havia me transformado em uma espécie de seguidor que passava horas ouvindo como um garoto aquelas teorias artísticas e especulações filosóficas tão insanas que, sozinhas, justificariam uma internação de Pickman no hospício de Danvers. A admiração que eu demonstrava, e também o fato de que quase todas as pessoas tinham começado a se afastar dele, fez com que Pickman me confidenciasse muitas coisas. E, em certa noite, ele deu a entender que, se tivesse certeza da minha discrição e da minha integridade, me mostraria algo diferente do que eu estava acostumado a ver, algo consideravelmente mais incomum e mais perturbador do que qualquer uma das peças que ele tinha em sua casa.

"Certas coisas", confidenciou-me ele, "não são toleráveis para a Newbury Street; aqui elas estariam fora de lugar e nem poderiam ser concebidas. Minha missão é capturar as sutilezas da alma e isso é claramente impossível de conseguir em um conjunto de ruas de construção recente em um aterro. Back Bay não é Boston – ainda não é nada, porque não teve tempo suficiente para reunir memórias e atrair espíritos locais. Se existem fantasmas aqui, são os fantasmas mansos, de pântanos salgados ou de uma pequena caverna. Mas eu preciso de fantasmas humanos, fantasmas de seres fortes o suficiente para terem resistido a um vislumbre do inferno e retornado com o significado do que viram."

"O melhor lugar para um artista viver", continuou ele, "é o North End. Se fosse coerente e sincero consigo mesmo e com seu trabalho, o artista viveria apenas nos bairros pobres, onde as tradições se acumulam. Meu Deus, você percebe que esses lugares não foram apenas *construídos*, mas que se *desenvolveram*? Geração após geração, eles viveram, sofreram e morreram ali, em tempos em que as pessoas não tinham medo de viver, de sofrer e de morrer. Você tem ideia de que em 1632 havia um moinho em Copp's Hill e que a metade das ruas atuais já existia por volta de 1650? Posso mostrar a você casas que estão em pé há mais de dois séculos e meio, casas que presenciaram coisas que reduziriam as casas modernas a pó. O que as pessoas hoje em dia sabem sobre a vida e as forças que a movem? Hoje você diz que as feitiçarias de Salém são mera fantasia, mas aposto que a avó da minha avó teria muita coisa para contar. Ela foi enforcada em Gallows Hill, sob o olhar de Cotton Mather. O maldito Mather sempre teve medo de que alguém conseguisse fugir daquela prisão demoníaca de monotonia. Pena que não lançaram nele um feitiço nem sugaram seu sangue durante a noite!"

"Eu posso mostrar a você uma das casas onde ele morou", continuou Pickman, "e também posso levá-lo a outra casa em que ele tinha medo de entrar, apesar de suas muitas bravatas. Ele sabia de coisas que não se atreveu a descrever naquela desafortunada *Magnalia* ou nas fantasias infantis das *Maravilhas do mundo invisível*. A propósito, você sabia que houve um tempo em que todo o North End era atravessado por uma rede de túneis que permitia que as pessoas se comunicassem com as de outras casas, com o cemitério e com o mar? Os caçadores de bruxas podiam procurar e perseguir o que estava acima do solo. As coisas aconteciam todos os dias e eles não conseguiam ter acesso a elas. As vozes riam à noite e eles não sabiam de onde!

"Meu caro, de dez casas construídas antes de 1700, aposto que em oito delas posso mostrar-lhe algo estranho no porão. Você não passa um mês sem ler nos jornais que um grupo de trabalhadores, ao demolir construções antigas, descobriu passagens em arco e poços subterrâneos que não levam a lugar nenhum. No ano passado, dava para ver uma casa assim quando o trem passava pela Henchman Street. Havia bruxas e a invocação de seus feitiços, piratas e o que eles saqueavam no mar, contrabandistas, corsários. Posso assegurar-lhe que em outros tempos as pessoas sabiam como viver e como expandir as fronteiras da vida. Aliás, esse não era o único mundo que um homem com imaginação e coragem poderia conhecer. Argh! E pensar nos dias de hoje, com intelectos tão apagados que até mesmo um clube de supostos artistas sente calafrios e convulsões se uma pintura ofende a sensibilidade de uma mesa de chá na Beacon Street!

"O único aspecto positivo do presente é que ele é estúpido demais para fazer perguntas detalhadas acerca do passado. O que os mapas e registros e guias de viagem nos informam a respeito do North End? Raios! Eu garanto que vou levá-lo a trinta ou quarenta vielas e emaranhados de vielas ao norte da Prince Street que não são conhecidos por mais de dez pessoas além dos estrangeiros que se amontoam por lá. E o que aqueles galegos entendem disso? Nada, Thurber, esses lugares antigos estão repletos de maravilhas, de terror e de portas para fugir para lugares diferentes. Mas nem assim aparece uma vivalma que os compreenda ou se beneficie deles. Ou melhor, existe apenas uma alma – afinal, não estive revirando o passado a troco de nada!

"Quem diria que você se interessaria por esse tipo de coisa. Bem, o que você diria se eu lhe contasse que tenho outro estúdio nessa área, no qual posso capturar o espírito sombrio de horrores passados e pintar coisas que nunca teriam chegado à minha imaginação na Newbury Street? É claro que eu não faria essa revelação para as velhinhas estúpidas do Clube – começando com Reid, a maldita, sempre sussurrando como se eu fosse uma espécie de monstro descendo o tobogã da involução. Você pode acreditar em mim, Thurber, há muito tempo eu decidi que, assim como a beleza, também se deve pintar o terror a partir da observação, então explorei alguns lugares onde eu tinha motivos para acreditar que o terror habitava."

"Eu encontrei um lugar", murmurou Pickman, "que apenas três homens nórdicos viram, além de mim. Não está muito longe do elevado, mas está a séculos de distância em relação ao espírito. Decidi alugar a casa por causa do velho poço com paredes de tijolo no porão. O prédio está quase em ruínas, então ninguém pensaria em morar lá. Eu teria vergonha de confessar o que pago por ela. Cobri as janelas com tábuas, já que não preciso da luz do sol para o meu trabalho, e instalei a oficina no porão, onde a inspiração se torna mais intensa, mas também tenho outras salas com móveis no andar térreo. O edifício pertence a um siciliano, e para alugar a casa usei o nome de Peters."

"Se você quiser", concluiu Pickman, "posso levá-lo lá hoje à noite. Tenho certeza de que você vai gostar muito das pinturas, já que nelas deixei a imaginação correr solta. Nós não teremos que andar muito. Faço o trajeto sempre a pé para não atrair a atenção com um táxi em um lugar como aquele. Vamos pegar o metrô na South Station em direção à Battery Street. E de lá é só uma caminhada curta."

Bem, Eliot, você vai concordar se eu lhe disser que, depois de uma conversa dessas, precisei conter a vontade de sair correndo e pegar o primeiro táxi livre que aparecesse à nossa frente. Nós pegamos o metrô na South Station e por volta do meio-dia estávamos na Battery Street, caminhando ao longo do velho cais de Constitution Wharf. Não prestei atenção nas ruas transversais e não saberia dizer em qual delas entramos, mas sei que não foi em Greenough Lane.

Depois subimos todo o comprimento de um beco deserto que era o mais antigo e o mais imundo que já vi em toda a minha vida, cheio de casas que pareciam prestes a desmoronar, com tetos quebrados, janelas estilhaçadas e chaminés surradas e meio desintegradas, que, no entanto, ainda permaneciam de pé contra o céu enluarado. Tive a impressão de que todas as casas que vi já existiam no tempo de Cotton Mather. E tenho certeza de que vi pelo menos duas casas com beirais, e lá pelas tantas tive também a impressão de ver um telhado de duas águas anterior às mansardas, embora os antiquários digam que não restou nenhuma casa assim em Boston.

Quando saímos desse beco pouco iluminado, dobramos à esquerda e pegamos uma viela ainda mais estreita e igualmente silenciosa, mas sem luz alguma. Em seguida, no escuro, fizemos o que eu acredito ter sido uma curva em ângulo obtuso à direita. De repente paramos, e Pickman tirou uma lanterna de dentro das roupas e projetou um raio de luz contra uma porta de madeira antediluviana que parecia estar devastada pelos cupins. Pickman abriu a porta e convidou-me a entrar por um corredor vazio que ainda conservava os vestígios do que um dia foi um magnífico teto de lambris de carvalho. Era um detalhe simples, claro, mas que fazia lembrar do tempo de Andros, Phipps e de feitiçaria. Então ele me conduziu por uma porta à esquerda, acendeu uma lamparina a óleo e me disse para ficar à vontade, como se estivesse em minha própria casa.

Eliot, você sabe que eu sou o tipo de sujeito que as pessoas costumam chamar de durão, mas devo confessar que a visão do que estava nas paredes daquela casa perturbou minha alma. Eram pinturas de Pickman – aquelas que ele não conseguia pintar, quanto mais exibir na Newbury Street –, e ele tinha toda a razão quando disse que havia deixado a imaginação "correr solta". Vamos, tome outra bebida. Eu, pelo menos, preciso de mais uma!

É inútil tentar descrever esses quadros para você, porque o horror mais terrível e herético e a decadência moral mais repulsiva vinham por meio de simples pinceladas de cor que as palavras não podem descrever. Nesses trabalhos não havia nada da técnica sofisticada vista em Sidney Sime, nem mesmo as paisagens ou a vegetação cósmica que Clark Ashton Smith usa para congelar o sangue. Os cenários de fundo eram geralmente de antigos cemitérios, florestas escuras, penhascos à beira do mar, túneis forrados com tijolos, antigos quartos laminados ou simples criptas de alvenaria. O cemitério de Copp's Hill, que certamente não ficava longe de onde estávamos, era o cenário predileto.

A loucura e a monstruosidade ficavam evidentes nas figuras de primeiro plano, já que a arte mórbida de Pickman consistia acima de tudo em retratos demoníacos. As figuras não eram inteiramente humanas; em vez disso, tentavam se aproximar da humanidade em graus variados. A maioria dos corpos, que mal eram bípedes, curvavam-se para a frente e tinham um ar canino. A textura parecia borracha e era bastante desagradável. Ugh! Parece que as estou vendo nesse instante! Não me peça tantos detalhes sobre suas ocupações. Em maior parte, estavam se alimentando; não vou lhe dizer do que se alimentavam. Às vezes apareciam em bandos em cemitérios ou passagens subterrâneas e, ocasionalmente, pareciam disputar uma presa ou, melhor dizendo, seus preciosos saques. E, acima de tudo, aquela maldita expressividade que Pickman dava aos rostos parados daquela carniça macabra. Em algumas pinturas, as criaturas pulavam através de uma janela aberta para o coração da noite ou aninhavam-se no peito de algum ser adormecido para se entreterem com a garganta. Uma das pinturas mostrava uma matilha daquelas criaturas repugnantes uivando ao redor de uma bruxa enforcada em Gallows Hill, cuja fisionomia cadavérica tinha uma impressionante semelhança com a dos seres.

No entanto, não pense que foram esses cenários tétricos que me fizeram fraquejar. Não sou criança e, a propósito, já vi muita coisa semelhante antes. Foram os rostos, Eliot, aqueles malditos rostos com sorrisos de escárnio e babando, que pareciam escapar da tela movidos por um sopro de vida. Eu poderia jurar que eles estavam vivos! Aquele mago hediondo tinha despertado os fogos do inferno com seus pigmentos, e o pincel dele conjurou terríveis pesadelos. Passe-me a garrafa, Eliot.

Eu me lembro de uma tela chamada *A Lição*. Deus tenha misericórdia de mim por ter visto aquilo! Você pode imaginar um grupo desses seres caninos agachados em um semicírculo em um cemitério e dedicados à tarefa de ensinar uma criança a se alimentar como eles? Suponho que seriam os termos de uma troca. Certamente você conhece a velha lenda sobre as terríveis substituições que os seres sobrenaturais praticam, deixando seus próprios filhos nos berços e levando as crianças que dormem neles. As pinturas de Pickman mostravam o que acontece com essas crianças roubadas, como elas se desenvolvem, e a partir desse momento comecei a notar uma semelhança assustadora entre os rostos das figuras humanas e não humanas. Pickman se dedicou a estabelecer, com todos os possíveis graus de morbidade, um sinistro elo evolutivo entre o totalmente humano e o degradadamente desumano. A origem dos seres caninos eram os seres humanos!

Eu mal havia me perguntado o que aconteceria às crias daqueles seres que eram deixadas ao cuidado de humanos como objeto da troca quando meus olhos caíram sobre um quadro que encarnava esse mesmo pensamento. A tela representava os interiores de uma casa puritana em um cômodo cheio de vigas e gelosias, adornado com mobílias esquisitas do século XVII, onde toda a família se reunia em volta do pai, que lia uma passagem da Bíblia. Todas as faces, com exceção de uma, tinham uma expressão de nobreza e reverência; mas aquela refletia a mais repugnante zombaria. Era o rosto de um jovem, sem dúvida o suposto filho daquele pai devoto, mas que na verdade tinha parentesco com os seres impuros. Era o produto de uma daquelas permutas. E, em um impulso de suprema ironia, Pickman conferira às feições do jovem uma semelhança chocante às suas próprias feições.

Nesse momento, Pickman já havia acendido uma lâmpada na sala ao lado, segurava a porta aberta e me convidava a entrar, perguntando se eu gostaria de ver seus "estudos modernos". Eu ainda não tinha aberto minha boca para comunicar minhas impressões sobre o que vira, pois o terror e a repulsa me deixaram sem palavras. Mas acho que ele entendeu perfeitamente e, sem dúvida, ficou lisonjeado. Agora, Eliot, quero reforçar mais uma vez que não sou nenhum fracote que se põe a gritar quando se vê diante de qualquer coisa que se afaste do que chamamos de normal. Tenho idade suficiente e sou um homem sofisticado, e acho que você viu o bastante de mim na França para saber que não me impressiono com facilidade. Também não esqueça que eu mal havia recuperado o fôlego e me acostumado àquelas figuras pavorosas que transformavam a Nova Inglaterra colonial em uma espécie de anexo do inferno. Bem, apesar de tudo isso, o que vi naquela sala me forçou a soltar um grito e precisei me agarrar ao batente da porta para não cair. O primeiro dos cômodos era o reino de um número de vampiros e bruxas que povoavam o mundo de nossos ancestrais, mas essa sala trazia o horror para a nossa vida cotidiana!

Meu Deus, como aquele homem pintava! Havia um esboço chamado *Acidente no Metrô*, no qual era possível ver um grupo de seres malignos brotando de uma enorme catacumba desconhecida através de uma rachadura no piso da estação na Boston Street e atacando a multidão de pessoas que esperava na plataforma. Outro mostrava um baile entre os túmulos de Copp's Hill, com uma paisagem contemporânea ao fundo. Havia também várias cenas em porões, com monstros saindo de buracos e rachaduras na alvenaria, fazendo gestos sinistros e rindo agachados atrás de barris ou fornalhas enquanto esperavam a primeira vítima descer as escadas.

Uma tela repugnante parecia se concentrar em uma vasta área de Beacon Hill tomada por densos exércitos de monstros mefíticos que pareciam formigas e que brotavam e se espremiam de milhares de tocas que cobriam o chão, conferindo-lhe um aspecto de favos de mel. Havia também muitos trabalhos com danças nos cemitérios atuais, mas o que mais me perturbou foi uma cena em uma cripta desconhecida, na qual uma multidão de pequenas criaturas amontoava-se em torno de outra, que trazia nas mãos um conhecido guia de Boston, que lia evidentemente em voz alta. Todas as criaturas apontavam para a mesma passagem e cada um daqueles rostos estava tão contorcido com uma risada epilética e reverberante que eu quase parecia ouvir os ecos demoníacos. O título da obra era *Holmes, Lowell e Longfellow estão enterrados em Mount Auburn*.

Enquanto recuperava um pouco de equilíbrio e serenidade, enquanto me adaptava àquela segunda sala diabólica e mórbida, comecei a analisar algumas características da minha repulsa. Em primeiro lugar, eu dizia a mim mesmo, tudo aquilo era repugnante porque evidenciava a falta de humanidade e a crueldade impiedosa que se revelava existir em Pickman. Sem dúvida, ele devia ser um inimigo incansável da humanidade para se deleitar daquela maneira com a tortura do espírito e da carne e com a degradação do invólucro mortal. Em segundo lugar, todas aquelas pinturas eram aterrorizantes devido à sua própria grandeza. A arte dele era persuasiva: ao olhar para suas pinturas, é possível ver os demônios pessoalmente e, é claro, eles inspiram medo. E o mais curioso de tudo era que Pickman não obtinha esse efeito com requintes fantásticos ou bizarros. Ele não usava truques como desfocar a luz ou distorcer a realidade: os contornos eram nítidos e realistas e os detalhes definidos e executados com uma perfeição dolorosa. E o que dizer sobre os rostos!

O que se via nas pinturas era mais do que a simples interpretação de um artista; era o próprio pandemônio, claro como um cristal e revertido com a maior fidelidade imaginável. Céus, era exatamente isso! Aquele homem não era um romântico ou um fantasista! Ele sequer tentou representar o caráter inquieto, prismático e transitório dos sonhos; em vez disso, seu trabalho se limitou a refletir de forma fria e sardônica um mundo terrível que ele via de forma cristalina, com brilhantismo, objetividade e decisão. Só Deus pode saber que mundo era aquele e onde ele havia vislumbrado as formas heréticas que andavam, corriam e se arrastavam nas pinturas. Mas qualquer que fosse a origem assombrosa de suas imagens, uma coisa era mais do que evidente: em termos de concepção e execução, Pickman era um pintor realista, esmerado e quase científico.

Depois disso, meu anfitrião me conduziu ao porão, onde ficava o estúdio, e eu me preparei para os efeitos infernais que poderia ver nas telas inacabadas. Quando chegamos ao fim da escadaria úmida, Pickman concentrou o facho de sua lanterna em um canto do espaço amplo à nossa frente, onde havia um círculo de tijolos que evidentemente marcava um grande poço escavado no chão. Ao nos aproximarmos, percebi que o buraco tinha cerca de um metro e meio de diâmetro, com paredes de uns trinta centímetros de espessura e projetava-se cerca de quinze centímetros acima do nível do solo. Tinha a aparência de ser uma daquelas obras sólidas do século XVII. Aquilo, Pickman me explicou, era o tipo de coisa sobre as quais ele vinha comentando: um acesso para se conectar à rede de túneis que havia nas entranhas da colina. Notei que o poço não estava fechado, e que estava coberto por um disco sólido de madeira. Ao pensar sobre os lugares onde aquele poço deveria levar, se as revelações de Pickman tivessem alguma verdade, um arrepio percorreu meu corpo. No entanto, continuamos a avançar. Segui meu anfitrião, subimos um degrau, atravessamos uma porta estreita que conduzia a uma sala bastante ampla com piso de madeira e devidamente equipada como um estúdio. Uma instalação de gás acetileno fornecia a luz necessária para o trabalho.

As pinturas inacabadas, colocadas em cavaletes ou simplesmente encostadas na parede, eram tão macabras quanto as do andar de cima e mais uma vez atestavam a técnica meticulosa que caracterizava o artista. As cenas eram esboçadas com muito cuidado e as linhas a lápis revelavam o cuidado com que Pickman tentava seguir a perspectiva e as proporções precisas. Ele era um grande pintor, e posso continuar dizendo isso agora, apesar de tudo que sei. Uma enorme câmera que estava sobre uma mesa chamou minha atenção, e Pickman explicou-me que a usava para fotografar paisagens que mais tarde usaria como cenário em suas telas; com esse método, ele não precisava carregar todo o material de um lugar para outro até encontrar uma paisagem adequada. Ele argumentou que uma fotografia era tão boa quanto uma paisagem ou um modelo real, e era por isso que ele as usava regularmente.

Havia algo de perturbador nos esboços repulsivos e nas monstruosidades inacabadas que se agachavam em todos os cantos do estúdio. Mas, quando Pickman de repente expôs um enorme quadro colocado em um cavalete no lado mais afastado da luz, não pude conter um novo grito de horror – o segundo daquela noite. O grito ecoou pelas abóbadas escuras daquele porão úmido e nitroso e o esforço que fiz para me segurar e não explodir em uma gargalhada histérica foi enorme. Meu Deus, Eliot! Ainda hoje não sei o quanto era realidade e o quanto era delírio. Não me parece possível que a Terra abrigue um sonho como aquele!

A imagem mostrava uma blasfêmia colossal e indescritível, com olhos vermelhos e flamejantes, que segurava em suas garras afiadas e ossudas um ser que fora um homem um dia, cuja cabeça ele roía com o mesmo deleite com que uma criança lambe uma guloseima. A criatura estava meio agachada e, quando olhei para ela, tive a sensação atroz de que a qualquer momento ela poderia largar sua presa e saltar dali em busca de alguma refeição mais saborosa.

Apesar de tudo, não era o tema demoníaco o que fazia daquela pintura uma fonte imortal de terror – nem era aquele rosto canino com orelhas pontudas, nem seus olhos incrustados de sangue, nem o nariz deformado, nem as mandíbulas, de onde pingava uma baba rosada. Nem mesmo as garras escamadas, nem o mofo, certamente repulsivo, que cobria-lhe o corpo, nem os pés com cascos, embora qualquer uma dessas características pudesse ter levado um homem impressionável à loucura.

O que impressionava, Eliot, era a técnica, a maldita técnica implacável e sobrenatural. Assim como estou vivo, até aquela noite, em nenhuma outra ocasião vi o sopro da vida tão presente em uma tela. O monstro estava lá – estava olhando com raiva e roendo, roendo e olhando com raiva – e eu entendi que apenas uma suspensão nas leis da natureza poderia permitir que um homem pintasse uma coisa daquelas sem um modelo e sem ter frequentado esse mundo subumano que nenhum mortal que não tenha vendido a alma ao diabo conseguiu vislumbrar.

Preso com um percevejo a uma parte vazia da tela havia um pedaço de papel todo enrolado; no começo, pensei que fosse uma das fotografias que Pickman usava para pintar algum cenário de fundo tão assustador quanto o motivo central da pintura. Estendi a mão para desenrolá-lo e observá-lo com mais cuidado quando, de repente, Pickman deu um sobressalto tão grande como se tivesse levado um tiro. Notei que, desde que meu grito despertara ecos incomuns no porão sombrio, meu anfitrião vinha prestando muita atenção a possíveis ruídos no ambiente. Agora ele também pareceu levar um susto que, embora pequeno em relação ao meu, era de natureza muito mais física do que espiritual. Ele tirou um revólver do bolso e, com um sinal, recomendou que eu ficasse em silêncio e caminhou em direção ao porão principal, fechou a porta atrás de si e me deixou sozinho no estúdio.

Acho que fiquei paralisado por algum tempo. Prestei atenção aos sons como Pickman, e imaginei ter ouvido um ruído sutil de passos apressados em algum lugar, e depois muitos grunhidos e golpes em uma direção que eu não conseguia determinar. Pensei em ratos enormes e estremeci. Então um novo ruído me deu calafrios: um som furtivo, incerto, embora eu não saiba como explicar em palavras. Era como um barulho de madeira pesada caindo sobre alguma pedra ou tijolos. Madeira ou tijolos? Em que essa combinação me fez pensar?

Novamente o ruído voltou, agora com maior intensidade. Houve uma vibração como se a madeira tivesse caído mais longe do que na primeira vez. Logo depois ouvi um rangido estridente, ouvi Pickman gritar alguma coisa que não compreendi e a descarga ensurdecedora de seis tiros de revólver um após o outro, disparados de maneira espetacular, como um domador de leão atira para o alto para impressionar a plateia. Um grunhido ou um chiado e a seguir uma batida. E então, outra vez o ruído de madeira em atrito com tijolos. Alguns instantes depois, a porta se abriu e Pickman entrou com sua arma fumegante e amaldiçoou os ratos que infestavam o velho poço.

"Só o diabo sabe o que eles comem lá, Thurber", resmungou sarcasticamente, "porque aqueles túneis muito antigos se comunicam com cemitérios, covis de bruxas e com o mar. Mas seja o que for, deve ter acabado, porque eles estavam loucos para sair dali. Seus gritos certamente os deixaram animados. É melhor tomar cuidado nesses lugares antigos – nossos amigos roedores são a única desvantagem, embora às vezes eu pense que eles adicionam um pouco de atmosfera e cor ao ambiente."

Bem, Eliot, foi assim que a aventura daquela noite terminou. A promessa de Pickman de me mostrar o lugar foi cumprida. Deixamos aquele labirinto de becos por outro caminho, me parece, pois quando avistamos um poste de iluminação estávamos em uma rua um tanto familiar, com fileiras monótonas de condomínios e casas antigas. Era a Charter Street, mas eu ainda estava impressionado demais para notar a altura exata. Era muito tarde para pegar o metrô, então voltamos para o centro pela Hannover Street. Eu me lembro muito bem da caminhada. Nós subimos a Tremont até a Beacon, e Pickman me deixou na esquina com a Joy. A partir daquele momento, não tornei a vê-lo novamente.

Por que eu parei de ver Pickman? Contenha sua impaciência. Deixe-me pedir um café. Já bebemos demais, mas eu preciso beber alguma coisa. Não, não foi por causa das pinturas que vi naquele lugar. Embora, juro que elas seriam motivo mais do que suficiente para o Pickman ser proibido de entrar em nove em cada dez lares e clubes de Boston. Espero que você entenda agora o motivo de minha fobia de entrar em metrôs ou em porões. Eu me afastei dele por causa de algo que encontrei na manhã seguinte em um dos bolsos do meu casaco. Sim, foi o papel amassado que estava preso àquela tela horrível do porão, que eu pensava ser uma fotografia com alguma paisagem que Pickman pretendia usar como cenário para o monstro. Certamente, quando Pickman se assustou, eu estava estendendo a mão para desenrolá-lo e acho que inadvertidamente joguei o papel no bolso antes de olhar para ele. Ah, aqui está o café, Eliot. Eu aconselho você a tomar isso puro.

Sim, aquele papel foi o motivo do meu distanciamento de Pickman; Richard Upton Pickman, o artista mais notável que eu já conheci – e o ser mais execrável que já transpôs os limites da vida para mergulhar no mito e na loucura. É, Eliot, Reid estava certo: Pickman não era inteiramente humano. Ou ele nasceu em uma estranha região sombria, ou então descobriu um jeito de abrir os portais secretos. Mas agora tanto faz, ele se foi. Voltou para a fabulosa escuridão que adorava frequentar. Escute, vamos acender o candelabro.

Não me peça para explicar ou mesmo para fazer conjecturas sobre o papel que queimei. Também não me pergunte o que havia por trás daqueles ruídos parecidos com os de toupeiras que Pickman fez questão de atribuir aos ratos. Sabe, há segredos que remontam aos tempos antigos de Salém e Cotton Mather conta coisas ainda mais estranhas. Você sabe bem como as pinturas de Pickman eram realistas e bem se lembra de como todos nós nos perguntávamos de onde ele tirava aqueles rostos.

Bem, aquele papel não era a fotografia de uma paisagem para ser usada como cenário. Na imagem, via-se apenas o ser monstruoso que ele estava pintando naquela tela terrível. Era o modelo que ele estava usando – e o cenário nada mais era do que a parede do porão registrada com todos os seus detalhes. Por Deus, Eliot, *era uma fotografia tirada ao natural.*

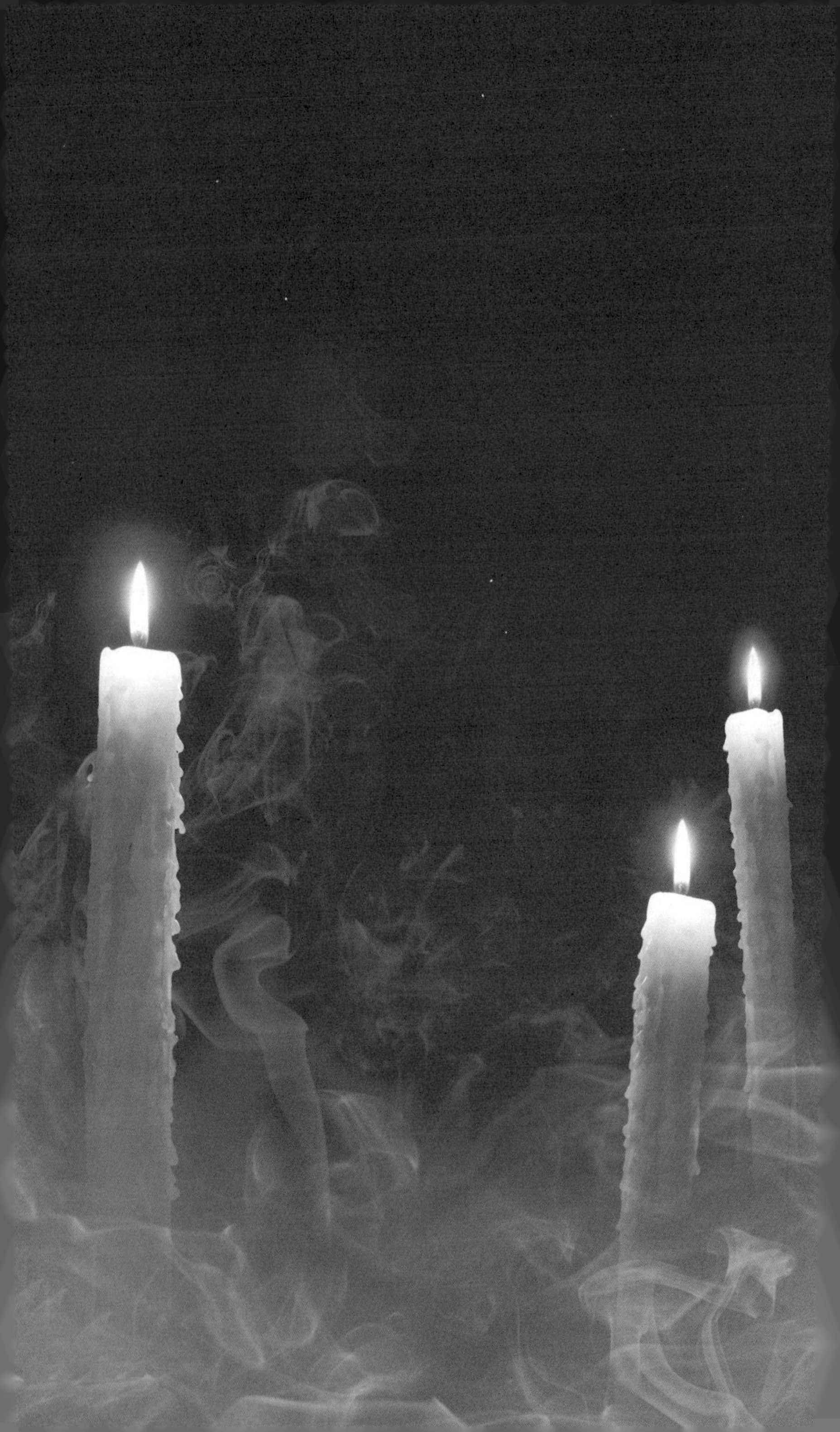

O festival

"*Efficiunt Daemones, ut quae non sunt, sic tamen quasi sint, conspicienda hominibus exhibeant.*"[1]

Lactantius

Eu estava longe de casa, e o feitiço do mar oriental havia recaído sobre mim. Ao crepúsculo, eu o ouvia batendo nas rochas e sabia que ele ficava logo depois da colina em que os salgueiros se remexiam diante do céu claro e as primeiras estrelas da noite. E como meus pais haviam me convidado para a velha cidade mais adiante, atravessei a neve rasa que havia acabado de cair ao longo da estrada que subia até onde Aldebarã dançava por entre as árvores; na direção da cidade muito antiga, que eu nunca tinha visto, mas com a qual várias vezes sonhara.

Era o Yuletide, que os homens conhecem como Natal, embora saibam, em seus corações, que é mais antigo que Belém e a Babilônia, mais velho que Mênfis e a própria Humanidade. Era o Yuletide, e eu havia finalmente chegado à antiga cidade costeira em que meu povo havia habitado e mantido a festividade mesmo nos velhos tempos, quando ela era proibida; ali eles também haviam orientado seus filhos a manterem o festival uma vez a cada século. Dessa forma, a memória dos segredos primais não seria esquecida. Meu povo era antigo, e já era antigo mesmo quando a terra foi colonizada, três séculos atrás. E eram tipos estranhos, porque tinham vindo como um povo furtivo e obscuro dos jardins de papoulas

---

[1]. (Os demônios trabalham de forma que coisas que não são reais aos homens apresentem-se como verdadeiras).

narcóticas do sul, e falavam outra língua antes de aprenderem a língua dos pescadores de olhos azuis. E estavam dispersos, e compartilhavam apenas os rituais de mistérios que nenhum ser vivente poderia entender. Naquela noite, eu era o único que tinha voltado à velha cidade pesqueira, como dizia a lenda, pois apenas os pobres e solitários lembravam.

Então, além do cume da colina, vi Kingsport com seus moinhos e campanários, telhados e chaminés, portos e pequenas pontes, salgueiros e cemitérios; intermináveis labirintos de ruas íngremes, estreitas e cheias de curvas, e vertiginosas torres de igrejas que o tempo não ousou tocar; uma confusão incessante de casas coloniais, amontoadas e espalhadas em todos os ângulos e níveis, como os blocos de montar das brincadeiras de uma criança; antiguidades pairando com asas cinzentas abertas em telhados duplos, embranquecidos pelo inverno; janelas cobertas por cortinas, uma a uma piscando na escuridão fria para se juntar a Órion e às estrelas arcaicas. E o mar batia com força contra os cais apodrecidos; o mar do qual as pessoas tinham vindo nos tempos antigos mantinha-se imemorial e cheio de segredos.

Ao lado do alto da rua, uma elevação ainda maior começava, sombria e dominada pelo vento, e vi que era um cemitério, onde lápides negras fincavam-se fantasmagoricamente por toda a neve, como as unhas apodrecidas do cadáver de um gigante. A rua era vazia e solitária, e às vezes parecia que estava a ouvir, no vento, um horrível e distante gemido, como um enforcamento. Eles haviam enforcado quatro parentes meus por bruxaria em 1692, mas eu não sabia exatamente o local.

Na encruzilhada da rua com a ladeira voltada para o mar, procurei atentar-me aos sons alegres de um entardecer de aldeia, mas não os ouvi. Então lembrei em que época estávamos, e achei que fosse bem provável que aquele velho povo puritano tivesse costumes natalinos estranhos a mim, cheios de orações silenciosas. Então, depois que eu não ouvi sons alegres nem vi peregrinos, fiquei observando as casas silenciosamente iluminadas, e os muros sombrios de pedras, com as placas das velhas lojas e tavernas batendo contra a brisa salgada, e as campainhas de ferro grotescas penduradas nas portas cintilavam ao longo das ruas sem pavimento, à luz de pequenas janelas acortinadas.

Eu tinha visto mapas da cidade, e sabia onde encontrar a casa do meu povo. Disseram-me que eu seria reconhecido e bem-vindo, pois velhas tradições da aldeia têm vida longa; então apressei-me pela Back Street até a Cicle Court, e atravessei a neve fresca sobre todo o pavimento que cobria a cidade, até onde a Green Lane levava aos fundos da Market House. Os velhos mapas ainda eram precisos, e não tive problema algum; a não ser em Arkham, pois não era verdade que passavam bondes por ali, já que não vi um único fio no alto dos postes. Mas, de qualquer forma, a neve teria coberto os trilhos. Estava satisfeito por ter decidido caminhar, pois a aldeia branca parecia muito bonita da colina; e agora eu estava ansioso por bater à porta do meu povo, a sétima casa à esquerda na Green Lane, com um antigo telhado pontiagudo e um segundo andar saliente, tudo construído antes de 1650.

Havia luzes dentro da casa quando me aproximei, e vi pelas vidraças entrelaçadas que deveria estar muito próxima de seu estado antigo. A parte superior elevava-se pela rua estreita coberta de grama, e quase se deparava com a varanda da casa em frente, de forma que eu parecia estar dentro de um túnel, com o degrau de pedra da porta totalmente coberto pela neve. Não havia calçada, mas muitas casas tinham portas altas com soleiras de degraus duplos e corrimãos de ferro. Era uma cena estranha, e, como eu não conhecia a Nova Inglaterra, nunca havia visto algo assim antes. Embora aquilo tivesse me agradado, eu teria saboreado melhor se houvesse pegadas na neve, pessoas nas ruas e algumas janelas descortinadas.

Quando bati a aldrava de ferro, fiquei com um pouco de medo. Sentia o medo crescendo dentro de mim, talvez por causa do estranhamento da minha herança, da falta de movimento e do silêncio bizarro da manhã naquela velha cidade de costumes intrigantes. E quando minha batida foi respondida, o pavor tomou conta de mim, pois não havia ouvido passo algum antes de a porta abrir com um rangido. Mas não fiquei com medo por muito tempo, pois o velho senhor de pijama e chinelos na entrada tinha um rosto sereno que me tranquilizou; e, apesar de ter feito sinais de que era surdo, escreveu uma curiosa e antiga saudação com o estilete e a tabuleta de cera que carregava.

Acenou para que eu o seguisse até uma sala de pé-direito baixo, iluminada por velas, com caibros expostos e móveis escuros, formais e esparsos, do século XVII. O passado estava vivo ali, nenhum atributo tinha sido perdido. Havia uma lareira cavernosa e uma máquina de fiar próxima na qual uma mulher idosa, usando um manto e uma touca comprida, estava sentada fiando silenciosamente, apesar da época festiva. Uma angústia indefinida parecia pairar sobre o recinto, e fiquei admirado pelo fogo não estar aceso. O quarto em frente às janelas acortinadas parecia estar ocupado, embora não fosse possível ter certeza. Não gostei de tudo o que vi, e senti o temor surgir novamente. O medo ficou mais forte do que estava antes de ser abrandado. Quanto mais olhava para o rosto sereno do velho, mais o seu excesso de serenidade aterrorizava-me. Os olhos nunca se moviam, e a pele assemelhava-se à cera. Finalmente convenci-me de que não era realmente um rosto, e sim uma habilidosa máscara demoníaca. Suas mãos fantásticas, curiosamente cobertas por luvas, escreveram na tabuleta com impressionante habilidade e disseram-me que eu deveria esperar um pouco para ser levado ao local da festividade.

Indicando uma cadeira, uma mesa e uma pilha de livros, o velho deixou a sala; e quando me sentei para ler, vi que os livros estavam esbranquiçados e cheios de bolor, e que entre eles havia o velho *Maravilhas da Ciência*, de Morryster, o terrível *Saducismus Triumphatus*, de Joseph Glanvill, publicado em 1681, o chocante *Daemonolatreia*, de Remigius, publicado em 1681, em Lyon, e o pior de todos, o impronunciável *Necronomicon*, do árabe louco Abdul Alhazred, na tradução latina proibida de Olaus Wormius;

um livro que eu nunca tinha visto, mas do qual ouvira sussurrarem coisas monstruosas.

Ninguém falou comigo, mas dava para ouvir o bater das placas ao vento no lado de fora, e o zumbido da roca enquanto a velha de touca continuava silenciosamente a fiar e fiar. Achei a sala, os livros e as pessoas, muito mórbidos e inquietantes, mas, por causa da velha tradição de festividades estranhas a qual meus pais tinham me convocado, pressupus que coisas esquisitas fariam parte. Então tentei ler, e logo comecei a tremer, absorvido por algo que descobri ser o malfadado *Necronomicon*, um pensamento e uma lenda muito hedionda para qualquer pessoa sã ou consciente, mas me distraí quando supus ouvir o fechar de uma das janelas que ficava em frente à lareira, como se ela tivesse sido aberta furtivamente. Pareceu seguir-se um zumbido que não vinha da máquina de fiar da velha. Não pude ouvir bem, no entanto, pois a velha estava fiando com vigor, e o relógio antigo badalava. Depois disso, perdi a sensação de que havia pessoas no local, e estava lendo intensa e tremulante quando o velho voltou, usando botas e uma roupa folgada antiga, e sentou-se no mesmo banco, de forma que eu não podia vê-lo.

Era certamente uma espera nervosa, e o livro blasfemo nas minhas mãos a tornava duas vezes maior. Contudo, ao soar das onze badaladas, o velho se levantou, foi até uma arca sólida esculpida que estava em um canto, e pegou dois mantos encapuzados; um dos quais colocou, e com o outro cobriu a velha, que tinha parado seu fiar monótono. Os dois se dirigiram à porta externa; a mulher arrastou-se, mancando, e o velho, depois de pegar o mesmo livro que eu estava lendo, acenou para mim enquanto colocava o capuz sobre o rosto – ou máscara – imóvel.

Saímos para as ruas sinuosas e escuras daquela cidade incrivelmente antiga; saímos enquanto as luzes nas janelas acortinadas desapareciam uma a uma, e a Estrela do Cão espreitava a multidão de figuras cobertas e encapuzadas que saíam silenciosamente de cada porta e formavam uma procissão monstruosa rua acima, passando pelas placas barulhentas, pelos frontões arcaicos, pelos telhados de palha e pelas janelas entrelaçadas; atravessando ruas íngremes, em que casas decadentes sobrepunham-se e amontoavam-se, deslizando por pátios abertos e cemitérios de igrejas, onde postes de luz faziam as constelações parecerem assustadoramente bêbadas.

Em meio à multidão, segui meus guias silenciosos; empurrado por cotovelos que pareciam extraordinariamente macios, e pressionado por peitorais e barrigas que pareciam estranhamente felpudos; mas sem nunca ver um rosto e nunca ouvir sequer uma palavra. Em frente, as colunas sinistras arrastavam-se, e vi que todos os peregrinos convergiam a uma espécie de foco de becos loucos no topo de uma colina alta no centro da cidade; de lá elevava-se uma grande igreja branca. Já a tinha visto do alto da estrada quando observei a noite caindo em Kingsport, e estremeci ao avistá-la, pois, por um momento, parecia que Aldebarã estava se balançando na torre fantasmagórica.

Havia um campo aberto ao redor da igreja; uma parte era um cemitério com lápides espectrais, e a outra era uma praça semipavimentada, e o vento havia praticamente retirado toda a neve de lá. Ao redor da praça havia casas antigas e malconservadas, com telhados pontiagudos e varandas salientes. Fogos-fátuos dançavam sobre as tumbas, revelando alamedas repugnantes, embora estranhamente não fizessem sombra. Depois do cemitério, onde não havia casas, podia-se ver acima do cume da colina e observar o cintilar das estrelas no porto, pois a cidade era invisível no escuro. De vez em quando, uma lanterna meneava horrivelmente pelos becos tortuosos em seu caminho para juntar-se à multidão, que agora entrava furtiva e silenciosamente na igreja. Esperei até que a multidão tivesse penetrado pela porta negra, e até que todos os que ali se acotovelavam tivessem passado. O velho puxava minha manga, mas eu estava determinado a ser o último. Atravessando a soleira em direção ao templo da escuridão desconhecida, que estava cheio como uma colmeia, virei-me uma vez para olhar o mundo exterior, onde uma fosforescência vinda do cemitério exibia um brilho doentio no pavimento da colina, e no mesmo instante estremeci. Pois, embora o vento não houvesse deixado muita neve, ainda havia um pouco perto da porta e, ao olhar para trás, pareceu aos meus olhos confusos que não havia nenhuma marca de pegadas, nem mesmo as minhas.

A igreja estava parcamente iluminada por todas as lanternas trazidas pelos fiéis, e a maior parte da multidão já havia desaparecido. Eles tinham afluído para a nave entre os bancos altos e os alçapões das criptas, que se abriram repugnantemente, logo depois do púlpito, e estavam se contorcendo silenciosamente. Em silêncio, subi os degraus gastos em direção à cripta escura e sufocante. A fila silenciosa em marcha noturna dava uma impressão horrível, e vê-los contorcendo-se para entrar em uma tumba de veneração causava-me uma impressão ainda mais horrível. Então notei que o chão da tumba tinha uma fresta pela qual a multidão deslizava, e, em seguida, todos nós estávamos descendo uma escadaria agourenta talhada em pedra bruta; uma escadaria helicoidal estreita, úmida e peculiarmente perfumada, que parecia não ter fim, e penetrava em direção às entranhas da colina, passando por paredes monótonas de blocos de pedras gotejantes e argamassa desmoronada. A descida foi traumatizante e silenciosa, e, depois de um intervalo horrível, percebi que as paredes e degraus estavam mudando sua natureza, como se tivessem sido escavadas na rocha sólida. O que mais me perturbou foi que as miríades de passos não emitiam sons e nem produziam ecos. Depois de uma descida que parecia durar uma eternidade, vi algumas passagens laterais ou refúgios, que levavam de recantos desconhecidos da escuridão àquela trilha de mistério noturno. Em instantes, tornaram-se inúmeras, como catacumbas ímpias de ameaças inomináveis; e o odor pungente de decadência aumentava e beirava o insuportável. Eu sabia que devíamos ter atravessado a montanha e estávamos agora abaixo da própria Kingsport, e estremeci ao pensar que uma cidade poderia ser tão velha a ponto de possuir subterrâneos tão diabólicos.

Então vi o bruxulear lívido de uma luz pálida, e ouvi o marulho insidioso de águas escuras. Novamente estremeci, pois não havia gostado das coisas que a noite tinha trazido, e desejava amargamente que nenhum antepassado tivesse me obrigado àquele rito primitivo. À medida que os degraus e a passagem ficavam mais largos, ouvi outro som, o lamento agudo de uma flauta débil; e de súbito surgiu à minha frente a paisagem ampla de um mundo interior: uma vasta costa coberta por fungos, iluminada por uma coluna que vomitava uma doentia chama esverdeada, e banhada por um largo rio oleoso que fluía dos abismos assustadores e desconhecidos para se juntar à baía negra do oceano arcaico.

Ofegando, a ponto de desmaiar, olhei para o jardim profano de imensos cogumelos, para o fogo leproso e a água viscosa, e vi a multidão vestindo túnicas, formando um semicírculo ao redor do pilar em chamas Era o rito do Yule, mais antigo do que o homem, e fadado a sobreviver a ele; o rito primitivo do solstício e a promessa de primavera após a neve; o rito do fogo e das plantações, da luz e da música. E nas grutas estígias, eu os vi realizar o ritual, e idolatrar o pilar doentio de chamas, atirando na água punhados da vegetação que reluziam verdes ao brilho clorótico. Vi aquilo tudo e algo agachado de forma amorfa, distante da luz, tocando ruidosamente uma flauta; e enquanto a coisa tocava, pensei ouvir sibilos nocivos e abafados na escuridão fétida em que eu nada via. Contudo, o que mais me aterrorizou foi a coluna de chamas; brotando, como se fosse um vulcão, das profundezas inconcebíveis, sem produzir sombra alguma, como as chamas em geral produzem, e cobrindo a rocha nitrosa com um tom de verde sórdido e venenoso. Toda aquela combustão fervilhante não produzia calor algum, mas apenas umidade de morte e decomposição.

O homem que tinha sido meu guia até ali contorceu-se até chegar a um ponto diretamente ao lado da chama odiosa, e fez movimentos cerimoniais rígidos para o semicírculo à sua frente. Em certos estágios do ritual, faziam reverências em que tinham de se agachar, especialmente no momento em que o homem segurou acima de sua cabeça aquele detestável *Necronomicon* que trouxera consigo; e eu compartilhei todas as reverências, porque tinha sido convocado ao festival pelos pergaminhos dos meus ancestrais. Então, o velho fez um sinal ao flautista semioculto nas trevas, cujo toque passou de um zumbido fraco para um zumbido escasso mais alto em outra escala, precipitando um horror inimaginável e inesperado. Com tal horror, quase afundei na terra coberta de liquens, trespassado por um temor que não pertencia a este ou a nenhum outro mundo, mas apenas aos espaços enlouquecedores entre as estrelas.

Vindas da inimaginável escuridão além do brilho gangrenoso da chama fria, das léguas tartáricas pelas quais o rio oleoso corria sobrenatural, oculta e obscuramente surgiu uma horda de seres alados e híbridos domesticados, que nenhum olho prudente jamais poderia captar e nenhum cérebro normal jamais poderia recordar. Não eram propriamente nem corvos, nem toupeiras, nem abutres, nem formigas, nem morcegos vampiros, nem seres humanos decompostos. Eram algo que não posso e não devo recordar. Eles sacudiam um pouco os pés, cobertos de teias, e as asas membranosas; e, quando alcançaram a multidão de celebrantes, as figuras encapuzadas as pegaram e montaram-nas, e saíram, uma a uma, cavalgando ao longo da extensão daquele rio mal iluminado, em direção a poços e galerias de pânico onde nascentes venenosas mantinham cataratas ocultas.

A velha fiandeira tinha ido com a multidão, e o velho só ficara porque eu tinha recusado quando ele tentou me motivar a pegar um animal e cavalgá-lo como o resto. Eu vi, quando cambaleei sobre meus pés, que o flautista amorfo havia desaparecido, mas os dois monstros esperavam pacientemente. Quando recuperei o equilíbrio, o velho tirou o estilete e a tabuleta e escreveu que ele era o representante dos meus ancestrais que tinham fundado o culto do Yule naquele local antigo; que tinha sido decretado que eu voltaria, e que os mistérios mais secretos ainda estavam para ser apresentados. Ele escreveu aquilo com caligrafia muito antiga, e, como eu ainda hesitava, tirou da túnica folgada um anel e um relógio, ambos com os símbolos da minha família, para provar que ele era o que dizia ser. Mas era uma prova revoltante, pois eu sabia por manuscritos antigos que o relógio tinha sido enterrado com meu tatatataravô em 1698.

Em seguida, o velho tirou o capuz e apontou para a semelhança da família em seu rosto, mas eu apenas estremeci, porque estava certo de que aquele rosto era apenas uma máscara demoníaca. Os animais alados estavam agora arranhando impacientemente os liquens, e eu vi que o velho também estava perdendo a paciência. Quando uma das criaturas começou a se mexer para ir embora, ele se virou rapidamente para detê-la; o movimento repentino desalojou a máscara de cera do que outrora deve ter sido sua cabeça. E então, porque aquela posição de pesadelo impedia-me de voltar à escada de pedra de onde viéramos, joguei-me no rio oleoso que borbulhava de algum lugar das cavernas até o mar; joguei-me naquele suco putrefato dos horrores do interior da Terra, antes que a loucura de meus gritos trouxesse toda aquela legião mortuária que os abismos pestilentos ocultavam.

No hospital, disseram-me que eu havia sido encontrado semicongelado no porto de Kingsport ao amanhecer, agarrado ao tronco flutuante que o acaso mandou para me salvar. Disseram-me que eu havia entrado na bifurcação errada na estrada da colina na noite anterior e caído dos penhascos em Orange Point, algo que deduziram a partir das pegadas encontradas na neve. Não havia nada que eu pudesse dizer, porque tudo estava errado. Tudo estava errado, com as janelas largas mostrando um mar de telhados nos quais apenas um em cinco era antigo, e o som de bondes e motores nas ruas abaixo. Eles insistiram que ali era Kingsport, e eu não podia negar. Ao ouvir que o hospital ficava perto do velho cemitério da igreja na colina central, comecei a delirar e eles me transferiram para o St. Mary's Hospital, em Arkham, onde eu receberia um tratamento mais adequado. Gostei de lá, pois os médicos tinham mentes abertas, e até usaram sua influência para obter a cópia cuidadosamente guardada do condenável *Necronomicon*, de Alhazred, da biblioteca da Universidade de Miskatonic. Disseram-me algo sobre uma "psicose", e concordei que deveria tirar todas as obsessões mórbidas de minha mente.

Lendo o capítulo assustador, estremeci duplamente porque não era algo novo para mim. Eu o tinha visto antes, que as pegadas sejam minhas testemunhas; e seria melhor esquecer onde o tinha visto. Não havia ninguém – durante o dia – que pudesse me lembrar daquilo; mas meus sonhos eram cheios de terror, devido a expressões que não devo citar. Ouso citar apenas um parágrafo, traduzido para nossa língua da melhor forma que consegui do estranho baixo-latim.

"As cavernas mais inferiores", escreveu o árabe louco, "não são para a compreensão dos olhos que veem; pois suas maravilhas são estranhas e terríveis. Amaldiçoado é o chão onde pensamentos mortos vivem em novos e estranhos corpos, e maligna é a mente que não se mantém por cabeça alguma. Como Ibn Schabao sabiamente disse, feliz é a tumba onde nenhum mago foi sepultado, e feliz é a cidade onde, à noite, todos os seus magos são cinzas. Pois há um velho boato que diz que a alma dos levados pelo demônio não se precipita dos restos de sua carne, mas engorda e instrui o próprio verme que o mastiga; até que, da decomposição, surge uma vida horrenda, e os estúpidos escavadores da cera da terra astutamente mobilizam-se para criar monstros para nos afligir. Grandes buracos são cavados secretamente onde os poros da Terra deveriam bastar e as coisas que deviam rastejar aprendem a andar."

Quer mais do melhor suspense, terror e aventura?
Confira nossas outras publicações:

Box *Obras de Edgar Allan Poe*. Três volumes. 356p.

Box *Obras de Edgar Allan Poe*. 426p.

Box *H.P. Lovecraft - Os melhores contos Vol. 1*. 448p.

Box *As grandes histórias de Sherlock Holmes*. 448p.

H.P. Lovecraft. Histórias reunidas. Volume único. 336p.

editorapandorga.com.br
/editorapandorga
@pandorgaeditora
@editorapandorga